P9-CQA-726

Las 10 Reglas de Oro para Educar a tus Hijos

Rápido efecto positivo en el hogar

Las 10 Reglas de Oro para Educar a tus Hijos

Rápido efecto positivo en el hogar

Eduardo Aguilar Kubli

**Dedicado a escuelas
de padres y maestros
Creación de cultura y
competencias para la felicidad
Prevención de adicciones
y problemas emocionales**

árbol
EDITORIAL

Las 10 reglas de oro para educar a tus hijos
Rápido efecto positivo en el hogar

Coordinación editorial:
Gilda Moreno Manzur

Diseño y formación:
Guadalupe Pacheco
Abraham Menes

Ilustraciones:
Gabriel Pacheco
Alma Rosa Pacheco
Belén García Monroy
Guadalupe Gómez
Marissé Aguilar

Fotografías:
Marissé Aguilar
Abraham Menes

© 2009
Árbol Editorial, S.A. de C.V.
Ave. Cuauhtémoc 1430
Col. Sta. Cruz Atoyac
México, D.F. CP 03310
Tel. (0155) 5605-7677
Fax (0155) 5605-7600
arbol@arboleditorial.com

Kubli y Asociados
Dirección General:
Paseo Provenzal 3611-A
Col. Lomas del Paseo
Monterrey, N.L. 64925
Tels. (0181) 8349-7627
y 8365-8929
Fax (0181) 8349-9384
jeka48@yahoo.com.mx

Primera edición

ISBN: 978-607-7803-00-3

Impreso en México/Printed in Mexico

Índice

A mis hijos, con quienes apliqué algunas reglas atinadas y aprendí otras en el camino. Ahora convivo con ellos para disfrutar los efectos positivos juntos. Aciertos, errores y correcciones en el trayecto, a Dios gracias.

El amor, el entendimiento y
el equilibrio son los ejes de la
calidad humana en el hogar.

E. Aguilar Kubli

Introducción

Este pequeño libro está dirigido a ti, madre o padre de familia o maestro de tus alumnos.

En él encontrarás claves de inteligencia emocional de fuerte impacto que elevarán de inmediato el sentimiento y la efectividad del comportamiento de tu familia o de todos los miembros involucrados en la comunidad educativa. Déjame te cuento brevemente la historia de este libro, su por qué y las respuestas que te presento en él. Te prometo que serán un tesoro útil y práctico y te ofrecerán un sinnúmero de opciones positivas para crecer con tus hijos.

Desde hace más de veinte años y a lo largo de todo el país he impartido muchas conferencias a padres de familia que ávidamente asisten con genuino interés y dudas razonables sobre cómo educar a sus hijos en los aspectos emocional, psicológico, o de hábitos de comportamiento. Durante este tiempo, casi siempre antes de la conferencia levantaba una encuesta rápida entre los asistentes sobre qué errores y aciertos cometían en casa y cuáles eran sus dudas sobre el tema. Recopilé información en el norte, centro y sur del país, con más de cien mil papás y mamás. Éste es el momento en que ya puedo decirte algo al respecto.

Es notoria la *similitud* entre las inquietudes en todo México. Por supuesto, se observan algunas pequeñas diferencias, pero las coincidencias son enormes. En este libro tú te identificarás con la mayoría de ellas y conocerás los consejos que, desde el punto de vista de la psicología y de mi propia experiencia, te brindo sobre qué hacer y cómo resolver los problemas básicos de la convivencia familiar. ¿Qué se pregunta en la encuesta y qué dicen los padres de familia a lo largo del país?

En la primera parte de la breve encuesta se pide a los padres de familia que describan dos cosas que hacen y que consideran como aciertos en la educación de sus hijos. En la segunda parte se les pregunta sobre dos aspectos que perciben como errores. En la tercera parte se les cuestiona sobre lo que más les inquieta en el tema de la convivencia familiar. A continuación describo los resultados obtenidos.

Dos aciertos al educar a nuestros hijos

Los papás de México principalmente señalan:

Acierto	Porcentaje
Darles una educación con valores	40%
Estar al pendiente de ellos	28%
Disciplina positiva	10%
Comunicación	8%
Tolerancia	6%
Darles confianza	6%
Compartir juegos a su nivel	2%

Dos errores que cometemos al educar a nuestros hijos

Los papás de México principalmente señalan:

Error	Porcentaje
Regaños y gritos, estallidos emocionales frecuentes	42%
Inconsistencia en premios y castigos	28%

Error	Porcentaje
Consentimiento exagerado, darles demasiadas cosas materiales	10%
No darles más tiempo de calidad	6%
Escucharlos y compartir poco	5%
Ausencia de límites	6%
No escucharlos	5%
Dramatizar y exagerar sus errores	3%
Golpes físicos y verbales	3%
Amenazarlos	2%
Compararlos con los demás para su desventaja	1%
Chantaje sentimental	1%

Una pregunta que me gustaría resolver respecto de la educación con mis hijos es...

Las preguntas más mencionadas fueron las siguientes:

- ¿Cómo saber si estoy educando bien a mis hijos?
- ¿Cómo elevar su autoestima?
- ¿Cómo llevar la disciplina?
- ¿Cómo reducir pleitos entre ellos?
- ¿Cómo comunicarnos mejor?
- ¿Cómo hacerlos más responsables?
- ¿Cómo gritarles menos?
- ¿Cómo inculcarles valores adecuados?
- ¿Cómo llevarlos a la felicidad?
- ¿Cómo manejar la abundancia del acceso a Internet y los juegos de video?
- ¿Cómo darles una educación completa e integral?
- ¿Cuán importantes o determinantes son los primeros años de la vida de los niños?

Una vez que los papás responden yo acostumbro iniciar mi conferencia y bordar sobre estos principales problemas haciendo comentarios y sugiriendo soluciones para que apliquen en casa mejores prácticas de inteligencia emocional.

En esta obra he incluido lo más selecto de esos consejos y comentarios. Aquí seguramente encontrarás muchas respuestas a tus preguntas y consejos precisos para poner en marcha en seguida en tu casa. La he escrito sin las prisas de terminar la plática en una hora y en la calma de mi oficina realmente las posibilidades de explicarme a fondo se multiplican.

Las 10 reglas de oro para educar a tus hijos
(no hay orden de importancia)

1 Todo conflicto es una oportunidad.

2 Los errores dan información para crecer, no para empequeñecer.

3 En mente positiva, no entran moscas.

4 ¡Gracias! Una familia llena de regalos.

5 Las palabras deben ser de amor.

6 Todos tenemos necesidades.

7 Primero el esfuerzo, luego el placer.

8 Los pequeños pasos se vuelven grandes.

9 La felicidad se trabaja, la infelicidad también.

10 Desarrolla la espiritualidad, la misión, el sentido de la vida.

Regla uno

Todo conflicto es una oportunidad

Los primeros años son clave
en la vida de los niños, ¡y los
demás... también!

Jeka

E l concepto que se expresa en esta regla es algo que puedes incluso pegar con un imán en el refrigerador para que se convierta en la mentalidad de todos siempre. Tu familia debe casarse con esta idea. Eso romperá el sentido fatalista de las cosas que no sirve para nada, dará esperanza y reactivará las antenas inteligentes para orientarlas a la solución de los problemas en vez de repasarlos y rumiarlos o caer en la posición de víctima pasiva. No hay más que un conflicto y oportunidades de solución, lo demás es pérdida de tiempo.

Cuando enfrentamos un problema podemos sentarnos a descansar o a reflexionar al respecto, o aun calmar nuestro dolor, pero lo importante es buscar las riquezas que obtenemos de la experiencia, y la vida enseña que hay mucha en dondequiera que se le busque y quiera encontrar. Independientemente del tamaño de la dificultad, lo que nos hace salir adelante es la actitud, es la disposición positiva que tú eliges tener a pesar de todo.

Tus hijos verán esa actitud positiva y la repetirán. Ellos deben recibir ese mensaje de esperanza de manera continua: ¿qué me enseña este problema? ¿Qué oportunidades brinda? ¿Qué de esto me sirve para otras ocasiones? ¿Cómo puedo ser más fuerte a partir de ahora o más hábil e inteligente para responder? Todo niño o adolescente debe grabar en su corazón esta disposición, este mensaje; entonces se convertirán en líderes y no en seres pasivos que sienten que no tienen control alguno sobre su vida.

A veces entro en contacto con madres o padres que están muy preocupados por posibles errores que han cometido en los primeros años de la vida del niño o niña. A ellos les tengo una buena noticia: hay una esperanza para su sentido de sana responsabilidad. En términos generales, la investigación ha demostrado que muchísimos comportamientos negativos que pudimos haber contribuido a provocar en nuestros hijos tienen una segunda y tercera y... ¡mil oportunidades de rescate, de cambio, de posibilidad de hacerlo diferente, de mejora, de iluminación de nuevos caminos para ellos! No hay razón para desesperarnos y mucho menos para concluir que ya no queda nada por hacer, eso sería lo más peligroso y una mala enseñanza para nuestros hijos. Ser tenaces y persistentes para luchar y ganar las batallas es el nombre de este juego.

Los padres —genérico que incluye a madres y padres, para no repetir hasta la saciedad algo obvio: "las madres y los padres"; lo mismo sucede con "las niñas y los niños"— nos angustiamos porque caemos en cuenta de errores que cometimos en la educación de nuestros hijos. Si bien somos producto de la poca información con la que llegamos a ser papás, en lugar de vivir con esa ansiedad tenemos que dar el salto a esta idea clave: ¡**vamos por la oportunidad y hagamos del conflicto una nueva tarea!**

> **Tus hijos verán tu actitud positiva y la repetirán**

Recomendaciones para ejercitar permanentemente esta gran regla

1. Habla con tus hijos de las oportunidades que los conflictos les presentan.
2. Pega en casa un letrero en el que se exprese esta regla.
3. Después de escuchar sus problemas con atención y sin interferir, pídeles que digan qué alternativas de solución y qué oportunidades les ofrece el problema. Éstas van desde el crecimiento personal hasta la unión familiar. No permitas que se hable una y otra vez de los problemas y se les deje así nada más, generalizando un sentido negativo de la vida. Abandera la causa de la búsqueda de oportunidades.
4. Premia, felicita, aplaude, instiga, valora, agradece, el pensamiento de cualquiera

de tus hijos que engancha una oportunidad de solución o crecimiento a partir del problema. Diles: "en esta casa no sabemos ver los problemas por sí solos, siempre les buscamos la oportunidad".

5. Sé un modelo de búsqueda de oportunidades enfrente de ellos. Evita que tus hijos estén presentes en reuniones de adultos en donde el tono consiste en únicamente hablar de los problemas y tragedias de este mundo. Ellos escuchan y van formándose una "interpretación de la vida sesgada" que puede provocarles mucha ansiedad. Será mejor que acuerdes con tus amigos no tocar ciertos temas que no convienen para la edad de los niños; o bien, si tienen que escuchar o tú eliges que así sea, difunde un compromiso y ambiente propositivos, de soluciones, de esperanza, de lo que se puede hacer para.... No se limiten a analizar una y otra vez los problemas, los cuales quedan en el ambiente y luego pasan a la mente para rumiar el desaliento. Nunca te arrepentirás de ser prudente y tampoco de que tu sembradío sea verde, de colores, de opciones, de alegría y esperanza. No queda en saco roto, queda como música en sus corazoncitos. Además, por cierto, a esa edad, su derecho es empezar a conocer la alegría de vivir, derecho que debemos asegurarnos de que vean cumplido y no estorbar inundándolos de negativismo.

6. Rodéate de mensajes de esperanza, por medio de canciones, lecturas, ejemplos, películas, etcétera.

7. Realiza juegos en donde encuentren la oportunidad inherente a los conflictos. Puedes hacer una lista de conflictos para que ellos busquen, en tiempo récord, las oportunidades en ellos, por lo que ganarán puntos.

En las primeras fases privilegia la actitud más que la calidad de la solución.

8. Ustedes, los papás, hagan ejercicios individuales, personales, en los que definan sus conflictos y localicen las oportunidades que éstos plantean. Nada mejor para educar que los papás también se apliquen en las tareas de "crecimiento personal". Si ustedes llevan a cabo estos ejercicios en sus personas, descubrirán muchas más cosas que si sólo lo "predican". Por ello estas actividades son clave, se trata de "superarnos todos juntos en familia", ¡no hay exentos! Ésta es una gran oportunidad que nuestros hijos nos regalan, ya que por ellos y debido a su presencia en nuestra vida estamos obligados a revisarla cada uno y mejorar las posibilidades de aprender a ser felices. Nadie da lo que no tiene.

Comunidad familiar y educativa, ¡todos a crecer!

¿Quién puede alzar la mano y decir: "Yo soy un ser que nada tiene que aprender"? Hablando de manera realista, ninguno de nosotros está en esa posibilidad, incluso segundos antes de retirarnos de esta vida.

Por ejemplo, y de acuerdo con las investigaciones, los hijos de padres divorciados que aprendieron a ver los conflictos como oportunidades sufren menos daños emocionales y tienen más capacidad de adaptación a las dificultades que quienes viven los problemas recurrentes sin esperanza o alternativas de solución. Lo esencial es manejar el conflicto, prevenirlo siempre que sea posible y, cuando no pueda evitarse, centrarnos en las oportunidades que presente.

El valor preventivo de educar a nuestros hijos para que adopten un lenguaje positivo ante los problemas es enorme. Así sabrán romper los moldes negativos que les hemos transmitido y que heredamos de nuestros padres. Ya no querrán a ese "novio gritón" que tantos desastres causó en la familia de los antepasados, sino más bien querrán a alguien amoroso y grato con quien se pueda dialogar; esto si y sólo si, vivieron que esta alternativa es posible y es factible conquistarla. De no ser así... volverán a lo mismo. ✿

Regla dos

Los errores dan información para crecer, no para empequeñecer

Existen fallas, no personas
fallidas; el error es
información para
considerarla, no para ser
desconsiderados con los demás
o con nosotros mismos.

Jeka

P areciera eterna la actitud que tenemos de juzgar, condenar, criticar y demeritar a las personas que cometen errores, sin importar cuáles sean, ni su edad. La historia nos ha demostrado que el mundo evoluciona de modo dramático cuando hacemos exactamente lo contrario. Cuando pensar diferente dejó de ser herejía, pudimos entender mejor el universo y posicionarnos de una nueva manera. Tras descubrir que alguien "embrujado" en realidad tenía un problema mental, se han recuperado muchas personas en tratamientos que las llevan a vivir con mayor

Todo puede desarrollarse de forma precisa, sin necesidad de gritos

dignidad humana. Igualmente, si tu hijo tiene poca capacidad de tomar el vaso de leche por sí solo y lo tira, aprende a agarrarlo mejor o tú aprendes a no darle un vaso tan resbaloso. Todo puede desarrollarse de forma precisa, sin necesidad de gritos, trueques de llanto y vapuleo, en paz; se toma el problema y se le dirige como debe hacerse. De ahora en adelante se camina mejor; irnos por el otro lado es estancarnos y dejar huellas permanentes de dolor y miedo.

Es cierto que a veces aprendemos con base en gritos y regaños; tal actitud algo deja, pero… algo quita. Y no tenemos que vivir como ardillas espantadas si el bosque que nos espera para que vivamos en la niñez de por sí es incierto y peligroso. En un ambiente que hacemos difícil los primeros que sucumben son los temerosos. Y ellos aprenden a ser así por la forma en que se les trata cuando tienen limitaciones o muestran fragilidad.

Un punto crítico en toda convivencia familiar es cómo corriges los errores de tus hijos… o de quien sea.

Un consejo importante te doy a ti, mamá o papá: sé que quieres a tus hijos, que estás cansada o desesperado o de mal humor. A veces en verdad es difícil contenerse, pero, ante sus limitantes o errores, centra tus esfuerzos en evitar la transmisión de los siguientes mensajes.

Cuando tus hijos se equivoquen:

No te vayas del lado del insulto, el menosprecio, la comparación, la negación de tus hijos.

Este paso debe cumplirse ciento por ciento, ¡no más insultos en casa, para nadie! Es la sana recomendación, por principio y regla definitiva eso se acabó. ¡Tolerancia cero a la ofensa, los golpes, las amenazas de violencia verbal o física! Los papás que no saben, que no aprendieron a controlarse en este sentido, o que decidieron no hacerlo, pagan facturas muy caras en la forma de problemas que sus hijos cargan años más tarde. He atendido a adolescentes con serios problemas, en los que se ve con claridad el daño labrado en muchas instancias desafortunadas de manejo de los papás. Es una lástima que deba ser así cuando prevenir es la clave. Si no tienes algo propositivo y constructivo que decir, es preferible que te quedes callado por el momento. Habrá muchas, muchas ocasiones en las que tus hijos no llenarán tus expectativas, así es y así será. Hay que mostrar tolerancia inteligente ante una realidad repetitiva que dejará de serlo gradualmente. Verás mejores resultados cuanto más razonamiento haya, no estados de guerra o ataques personales.

Toma el error como un maestro que nos enseña algo y aprende de eso junto con tus hijos.

Podrías pegar en un lugar visible de la casa el mensaje "El error es un maestro respetable del cual todos aprendemos".

En lugar de ofender expresa la acción equivocada.

Por ejemplo, dile: "No está la tarea terminada" y no "Eres un haragán espantoso".

Invita a tus hijos a que se comprometan con soluciones a los errores que impliquen su crecimiento.

Siempre que sea posible, señala la meta de crecimiento que ha de promover la corrección del error, ese nuevo destino al que se quiere llegar. Estimula la esperanza y la fe en que ellos lo pueden hacer.

Ésta debe ser una nueva filosofía de la casa que es aplicable a todos quienes la habitan, sin importar su edad.

No hay distinciones: es fundamental aprender a pedir perdón por nuestras fallas a los hijos cuando es claro que nos equivocamos.

Tal actitud nos humaniza, aunque hay que agregarle el paso del crecimiento: "Te estoy dando demasiados consejos cada vez. ¿Cómo o cada cuándo te gustaría que te recordara esto o qué propones?"

Los errores tienen causas y consecuencias.

Lo mejor es que nuestros hijos aprendan en casa, en ambientes algo controlados, antes de salir a la vida y enfrentar peligros grandes por no saber el precio que tienen algunas equivocaciones.

Por consiguiente, los papás pueden establecer acuerdos, sea cual sea la edad del hijo, con respecto a alguna consecuencia que deberá afrontar por el error, misma que le permitirá aprender mejor. Puede tratarse del retiro temporal de algún privilegio o de reparar el daño que hace, en el nivel propio de su edad, o de pedir disculpas y proponer nuevas formas de conducta. (Esto lo veremos a fondo más adelante). La comprensión de los errores no quiere decir ausencia de límites o irresponsabilidad al dejar de hacer esfuerzos por intentar no volver a caer en el error, en un consentimiento que no lleva a nada.

Prepárate para felicitar a tu hijo por el nuevo acierto después del error.

Esa lucha o intención de mejorar de su parte debe ser capturada, agradecida y festejada.

Sería deseable que lo mismo hicieran los adultos en el trato entre ellos. Imagina por un momento que los hijos pequeños escuchen a su papá decir a su mamá: "Mi amor, te felicito porque ya no le pones tanta sal a la comida y eso me ayuda mucho" (antes lo oían quejarse de esto sanamente). O a su mamá comentarle a su papá: "Mi amor, no sabes el gusto que me da que nos invites a salir al parque a caminar" (antes escuchaban que ella quería que él dedicara más tiempo a la familia). ¿Parece que es un sueño de Don Quijote esperar que en cada casa suceda esto? ¡NO! Sólo define qué vas a hacer ante las limitaciones que frustran nuestras expectativas: ¿Vas a evolucionar o a estancarte, pelear, luchar, gritar y caer en lo mismo? O ¿te pondrás

mejor en la frecuencia del amor? El amor rompe y rasga para construir, nadie lo detiene para dar más vida y alegría. Y en lo que se refiere al alma humana, se vale de los instrumentos más finos del trato persona a persona, para llegar a hacer crecer sembradíos hermosos en el mismo desierto. Si el error no te sirve para crecer, entonces... ¿qué puede servirte?

Revisa la estrategia, verifica las condiciones que llevan a las equivocaciones, no involucres a los culpables, analiza los problemas y realiza tu plan de aprendizaje.

Todo lo demás es desgaste emocional inútil que nos desvía de los problemas. Tu hijo no tiene por qué, además de aprender a hacer mejor su tarea, aprender que vale poco como persona, porque lo has puesto en duda una y otra vez con las evaluaciones negativas que hiciste de él. No tenemos derecho a crear problemas emocionales gratuitos y extra a nuestros hijos. A veces nosotros, como padres de familia, padecemos ciertos dolores y esquemas negativos sembrados, sin querer, a la vez por nuestros padres. Sin embargo, en nosotros está separar y superar eso, de manera que no repitamos la historia destructiva de una mala educación. Así como se dice que no debemos llevar los problemas personales al trabajo y eso se maneja como una máxima en el ambiente laboral, es más importante aún aplicar en casa una dimensión parecida: "No cometas con tus hijos los mismos errores con los que a ti te educaron". Tú sabes cuáles son, a ti mismo te ocasionaron problemas. ¿Por qué, entonces, repetir la misma historia con tus hijos? Nuestros hijos tiene derecho a una historia de vida nueva, diferente y positiva.

Los gritos e insultos también pueden prevenirse si las personas que educamos a los niños vivimos y fomentamos la salud, el ejercicio, los estados de paz y relajación, una buena disciplina y orden en casa. Los gritos pueden ser reflejo de la desesperación de una madre (o padre) por asuntos pendientes de resolver que a veces nada tienen que ver con los hijos. Las familias que viven estallidos emocionales frecuentes generan ansiedad permanente, con todos sus efectos negativos para el bienestar y la salud. Hay que privilegiar la calidad de vida, la armonía y la paz; es necesario revalorar y disfrutar los estados de silencio y privacidad. Todo es posible en la paz, aunque primero hay que conquistarla. Recuerda, el exceso de gritos hace hijos sordos.

No obstante, aun alzando la voz y enojados, no tenemos que ofender. Tú puedes decir: "Eso no me gusta y no lo voy a permitir", y no "Eres un tal por cual" o "Tú siempre...".

Habla y ensaya la expresión de tus enojos sin insultar ni faltar al respeto; no sabes cuánto te lo agradecerá el corazón de tus hijos, a quienes no tenemos derecho a endurecer por el dolor y el daño de la ofensa. El insulto hiere y excede una molestia temporal; corroe dañinamente el alma de nuestros hijos al hacerles perder mucho tiempo en reconstruirse. ¿Qué necesidad hay de que sufra una goliza en las primeras apariciones de su vida? ¿Por qué un hijo o hija tiene que remontar el marcador en contra, con todos los riesgos de acabar perdiendo? Ejemplos de estos males son el alcoholismo o drogadicción, las adicciones a amores insanos, la inseguridad perniciosa, el tabaquismo, y aun la obesidad y la delincuencia, entre otros.

Según estudios realizados, los hijos adolescentes que se estacionan en la drogadicción o el alcoholismo tienen un perfil de pesimismo, baja autoestima, mala comunicación e inseguridad. Ellos son más vulnerables. Al practicar estas 10 reglas de oro harás mucho por la prevención de adicciones.

En el caso del tabaquismo, investigaciones recientes señalan que lo mejor es no empezar a fumar. Ésta es una noticia importante si tus hijos son pequeños; desde entonces podrás inducir en ellos una actitud hacia la salud que desprecie al cigarrillo. Incluso pueden negociar de una vez para que no adquieran esta adicción en la adolescencia; podrán probar el tabaco en algún momento, pero no deben quedarse ahí, sino más bien romper de inmediato con ello. Además, es fundamental fortalecer las actividades físicas y las estrategias de salud a corto plazo. Déjame contarte un hecho verídico.

Uno de los hijos pequeños en una familia, de siete años de edad, escuchó que el cigarro era muy malo. Un día, vio fumar a su papá, quien no era un fumador frecuente. Alarmado, le dijo que el cigarrillo era malo y que no debía fumar. El papá tomó en serio el comentario del niño y le dijo: "Muy bien, mi hijo, tienes toda la razón y debido a tu comentario no volveré a hacerlo; en esta casa ninguno de nosotros se permitirá fumar; gracias por darme un consejo tan importante". Pasó el tiempo; cuando el muchacho cumplió dieciséis años, en una ocasión llegó a casa con aliento a tabaco. El padre había guardado aquel brillante consejo y echó mano de él para pedirle fervientemente a su hijo que ahora se respetase el acuerdo por la salud que establecieran años atrás. El joven dejó el cigarrillo para siempre y ahora es un caso más de no fumador consolidado.

La situación, que fue real, la describo como un ejemplo de estrategia preventiva. Los papás pueden valerse de muchos aspectos positivos para enaltecer la salud y hacer que sus hijos se comprometan con ella, a tiempo.

> Tú tienes un valor glorioso, único, vital, incomparable. Como todos vales el cien por ciento de tu unidad de vida y esto nunca cambia.
>
> Jeka

31

Con las dosis de "vacunación" adecuadas podremos heredarles victorias de calidad de vida.

Los padres no tenemos el derecho de cargar de dificultades emocionales a nuestros hijos por un trato violento, agresivo o negativo.

Autoestima rápida

El concepto de autoestima no tiene por qué complicarse. Lo importante es "hacer o construir autoestima" en tu vida y entrenar a tus hijos para que la hagan. ¿Cómo lograrlo?

Tus hijos tiene dos posibilidades al actuar: una es acertar y la otra, equivocarse. Tú les ayudarás enormemente con lo que hemos visto: cuando se equivoquen, no ofendas, dramatices, desprecies o uses cualquier otro calificativo negativo o aspaviento de reprobación despreciativa. Por el contrario, explícales que todos fallamos a veces, pero al mismo tiempo todos tenemos que aprender de eso. Mientras tanto, asegúrales que siempre serán valiosos a pesar de las limitantes, porque todos valemos todo. Es decir, la unidad de vida que cada uno representa es única en el universo. No vale más que todo, ni menos que todo, es la unidad de vida, el regalo que tenemos. Si te equivocas no pasas a cotizarte en 0.95, y si aciertas tampoco la unidad vale 1.10, porque todo no se puede comparar con todo, nadie vale más que otro. Las comparaciones son inútiles y nadie puede determinar este valor, aun cuando nos desprecie. Todos valemos una unidad de vida equivalente a 1.

Así, mientras una persona se mira al espejo creyendo con soberbia que vale más que los demás, el otro lo rebasa aprendiendo y disfrutando sus aciertos pero sin

perder la sencillez o "el piso", como decimos. Por otra parte, cuando otro vive lamentando su poca valía personal, el que hace autoestima lo vuelve a superar como liebre, al dedicar el tiempo y la energía a ser más eficiente dado lo que aprende de nuevo, sembrando para cosechar más aciertos y más habilidades que previenen y corrigen las situaciones de sufrimiento. El ego que se compara, mide y vive atado a que los demás o las cosas le den valor es vulnerable y lento para crecer.

Si al estar vivos somos totalmente valiosos y nuestra unidad vale "todo", entonces cuidar la salud personal, social y la del mundo se vuelve una prioridad básica. Asimismo, la no violencia, la justicia, el amor, la sana convivencia responsable, son prioridades fundamentales. Un mundo sano y feliz para las personas que dan lo mejor de sí.

El otro valor clave es la felicidad. El trabajo diario por estar feliz es un elogio a la vida (por supuesto, esto incluye contribuir a la felicidad de otras personas). Uno más es potenciar el rendimiento que deseamos de nuestros talentos a la medida de nuestra satisfacción plena.

El dinero, la fama, el prestigio, el poder, el estatus de cualquier tipo no nos dan valor; son simplemente medios para reciclar nuestros tres valores básicos (salud, felicidad y rendimiento a plenitud). Si se convierten en fines, por ejemplo, si sacrificamos la salud por el dinero, la factura nos llegará y pagaremos tarde o temprano. Nada es más apreciable que nuestra vida.

En resumen, haz autoestima con tus hijos. Enséñales que el error es un maestro y que lo importante es aprender de éste. Felicítalos siempre por sus éxitos, recordando también lo que éstos nos enseñan para así poderlos mantener, repetir o acrecentar. Diles muchas veces que ellos son lo más valioso del universo para ti; eso no resta valor a los demás ni hay tabla de comparación. No limites tus elogios o felicitaciones por sus aciertos ni las demostraciones de alegría al estar con ellos. La comparación pierde sentido y las medallas son para disfrutarse, no para humillar a nadie.

Critica junto con ellos todos esos mensajes comerciales que te quieren hacer sentir inconscientemente que tu valor depende de lo que adquieres, compras o consumes o de las maravillas que haces. No tienes que llenarte de definiciones, sólo aplica estos principios y estarás "haciendo autoestima" con tus hijos. Ayúdales poco a poco a distinguir entre lo importante y lo superficial o entre medios y fines.

Revisa tu situación familiar e intenta hacer más congruente esa lucha permanente entre medios y fines. Tal vez en ocasiones damos demasiada valoración a las cosas materiales, al atractivo de las personas, a la admiración de lo superfluo y perdemos de vista la esencia, el amor, la buena voluntad, la lucha por los valores, la convivencia alegre y de calidad.

No te equivoques, no dudes. Tus hijos tienen talentos espectaculares, algunos de los cuales son más llamativos que otros entre los mismos miembros de la familia. Las inteligencias son muchas en una sola persona y los atributos les hacen plasmar cosas que nadie podría hacer igual. Ayúdales con tu reconocimiento y felicitación por cualquier asomo o pincelada de virtud; ellos seguirán desarrollándola. Por eso no hay comparaciones entre unos y otros, no hay grande o pequeño. Tu labor es ser un "descubridor de talentos" en tus hijos y asombrarte de las potencialidades humanas de cada uno, de la magia de verlos crecer.

Recuerdo que a los seis años una de mis hermanas mayores me decía que tenía bonita letra y aunque los ejercicios de caligrafía eran pesados y aburridos, su comentario bastaba para que mi espíritu se llenara de júbilo y ganas de superación, y, por tanto, los hiciera con gusto. ¡Con qué poco se conforma un niño y cuánto podemos hacer los papás! ✿

Regla tres
En mente positiva no entran moscas

Tener una mente positiva
no es una opción, es la opción.

Jeka

¿**S**abías que en las mujeres los casos de depresión se dan tres veces más que los del hombre?

¿Sabías que dentro del segmento de mujeres las más vulnerables son nuestras queridas amas de casa?

¿Sabías que la depresión se perfila como la principal causa de muerte tanto en hombres como en mujeres en unos años?

¿Sabías que las mamás pesimistas se correlacionan fuertemente con hijos también pesimistas?

¿Por qué sucede esto?

Son muchos los hallazgos de la investigación científica, pero uno de los más importantes es el hecho de que una mente "negativa" o "pesimista" es la gasolina que prende el motor de la destrucción, el desamparo o el desaliento. En esta regla apuntamos a dos actividades concretas. La primera es que tanto mamá como papá trabajen en conseguir que cada uno de ellos, como adulto, como persona, tenga una mente muy positiva u optimista. La segunda consiste en que promuevan, instiguen, faciliten, apoyen, aplaudan y fortalezcan la mente positiva de cada uno de sus hijos. ¡Cero tolerancia al negativismo en casa!

No se imaginan cuán pernicioso puede ser este "enemigo silencioso" llamado negativismo. Es peligroso porque, como la humedad, crece sin que estemos conscientes de ello y aunque lo suframos todos los días. Puede volverse incluso una disposición social aparentemente correcta porque todos lo hacen… todos se quejan. Y se apoyan las quejas, pero no hay la contraparte, la otra versión, la posibilidad o alternativa que ofrezca algo mejor. Se rumia el problema y se deja de trabajar la esperanza.

Mi hija mayor me contó que salió a tomar café con sus mejores amigas y cuando la primera se marchó, "todas las que nos quedamos empezamos a hablar mal de ella, y así con la siguiente y la siguiente…". Y concluyó con este comentario: "Yo me quedé hasta el final, papá, me dio miedo irme". ¡Quiero recalcar que eran las mejores amigas! Éste constituye un buen ejemplo del "contagio para ver lo negativo".

Una manera sencilla de empezar a trabajar el positivismo es hablar exclusivamente bien de la gente, no sólo de nuestros hijos, sino de todos, buscando los aspectos positivos o los aciertos en ellos. Intentarlo puede revelar cosas muy interesantes; una de ellas es que tú mismo cambias, mejorando tu estado de ánimo. Una señora me dijo después de una conferencia que su marido llevaba un mes sin hablar. Al preguntarle por qué, me respondió: "Es que usted recomendó que habláramos exclusivamente cosas positivas de la gente y estaba tan acostumbrado a criticar que es fecha que no se le ocurre decir nada; se ha quedado mudo, criticar o morir pareciera su lema". Desde luego, disfruté su broma.

El pesimismo es pernicioso porque, según estudios de investigación consolidados (basta leer cualquier reporte científico de Martin Seligman en *Psychological Abstracts*):

- **Afecta la salud.** El negativismo genera la condición propicia a caer en más enfermedades, visitas al médico y operaciones, y resta años de vida en comparación con los que predominantemente tienen una mente positiva. Recuerda, salud, valor básico 1.
- **Afecta la capacidad de crear felicidad** porque no se disfrutan las cosas buenas o se sufren prolongadamente las adversidades de la vida. Se consolida la falta de anhelo por vivir, se sabotea la paz, la esperanza, las ganas de seguir luchando.
- **Pega directo a la baja en el rendimiento y talento** de las personas, mermando sus capacidades y su espíritu de lucha. Está comprobado que desde los deportes hasta una actividad profesional como las ventas o el logro de una meta beneficiosa, los pesimistas sufren pérdidas en relación, otra vez, con los de mente positiva.

Ello demerita su autoestima, que va de la mano y señala hacia la destrucción que puede llevar a cosas peores, como ya lo sabemos: drogadicción, alcoholismo u
otro tipo de adicciones, y depresión o hasta suicidio.

De tal modo, sin excepción, cada vez que ustedes, papás,
dirijan su mente y su atención a las alternativas positivas
estarán sembrando algo mejor que cuando hacen lo contrario. Todo hijo tiene derecho a conocer las bondades
que una mente positiva le da a su vida, cultivemos en ellos
eso. Éste es uno de los principales focos de atención que
los padres debemos atender.

Tener mente positiva u optimismo no es una condición
superficial, ni un enfoque de bobos en el que todo es bo-
nito. Es un factor básico de salud integral, previene de
muchos males y resulta tan importante como respirar des-
cubriendo las entrañas del negativismo.

Conviene que los papás aprendan que el negativismo es una mentira acerca de la realidad, es una lectura
falsa de los hechos, un "cuento que nos contamos" de lo
que sucede sin calidad de "edición" en nuestra mente.
Y al develar nuestros pensamientos sobre lo que nos
ocurre necesitamos saber diferenciar lo falso de lo verdadero.

- Siempre te equivocas…
- No sirves para nada…
- Nadie, todos, nunca…
- Me hacen…
- Insoportable…
- Malditos…

Hace poco escuchaba a un comentarista deportivo decir lo siguiente: "Sería catastrófico que la selección de futbol no calificara para ir al Mundial". Resulta de risa su aseveración en la que iguala unos desafortunados partidos de futbol con, por ejemplo, el huracán Katrina que dejó realmente a miles de damnificados y muertos. El negativismo habla de catástrofes que en verdad no lo son, de cosas terribles que son incómodas, sí, pero no insoportables, y la mente debe ser capaz de distinguir estas sutiles diferencias y guiarse por la verdad. Cada uno de nosotros debe aprender a realizar esta tarea con éxito si no quiere pagar las consecuencias de elevar la ansiedad a niveles muy considerables.

Sí podría ser catastrófico que la selección no calificara para el Mundial si nos convencemos de ello. La mente crea su realidad y se autoconvence, logrando las profecías que se dictamina. El poder de la mente negativa es capaz de cualquier cosa destructiva, claro, si la ausencia de la mente positiva lo permite. El diagnóstico práctico de mu-

La mente juega un rol vital para que acabemos hablando con el corazón

chas depresiones es "la ausencia generalizada de mente positiva" para encuadrar la realidad.

Las ideas negativas son construcciones de la realidad desafortunadas, exageradas, generalizaciones que nos llevan a sentirnos más mal de lo que deberíamos, pensamientos que impulsan el destruir, golpear, agredir y sobre todo, conducen a un bloqueo de soluciones inteligentes, incluyentes, eficaces.

La mente positiva requiere el dominio de varias cosas:

1. Aceptar la realidad como es y partir de ahí para mejorarla.
2. Luchar ante los problemas con la esperanza de lograr la solución, de que en ellos hay temporalidad: "En un tiempo más... saldremos adelante", sin abatirnos pensando que son eternos.
3. Mantener un análisis de los problemas sin culpar ni condenar a nadie, sino buscando las necesidades en conflicto y viendo cómo se pueden negociar y satisfacer a todos en una actitud de ganar-ganar.

Una característica clave de la mente positiva es la *base de datos* que no se altera para llegar a las conclusiones a que se llega. Por el contrario, estos datos son el cimiento firme de lo que nuestra mente saludable se permite afirmar, se alcanza a asegurar hasta lo que la realidad de datos nos dice.

Así, por ejemplo:

- "En el último mes no hemos salido" contra "Nunca salimos, lo único que le importa es…"
- "Mi hijo no llega a la hora, veré cómo puedo informarme" contra "Seguro le pasó algo"
- "Fallé como mamá al decirle esto" contra "Soy una mala madre"
- "Cuando mi hijo sea mayor, habrá oportunidades de…" contra "Cuando mi hijo sea mayor, pobre, lo que le espera"
- "No he podido" contra "No puedo y nunca podré"
- "Puedo manejar esta realidad óptimamente" contra "Me hacen sentir mal, no puedo con ellos"

El negativismo toma algo de la realidad y de ahí construye frases incompletas de lo que de hecho pasa, en tanto que el optimismo va construyendo las ideas conforme la realidad se las presenta, buscando siempre opciones para salir adelante.

Hacer optimismo en casa requiere que des reconocimiento y aplauso a las frases positivas de tus hijos que van orientadas a solucionar los problemas, por difíciles que éstos sean. También aplaude sus acciones propositivas,

45

La mente juega un rol vital para que acabemos hablando con el corazón

su búsqueda de alternativas y sus propuestas de mejora.

De igual manera, aporta tú mismo muchos ejemplos con las frases que utilizas: "Mi hijo, sé que hay problemas, pero también sé que encontraremos soluciones". Pon en donde puedan verse frases como:

- "Si se nos cierra una puerta abrimos diez más".
- "Cada día es una oportunidad, lo que pasó es el partido anterior".
- "Aquí no buscamos culpables, sino definir problemas y dar soluciones".
- "Tener un conflicto en algo no significa tenerlo en todo, hay esperanza".

La mente juega un rol vital para que acabemos hablando con el corazón. Te "nacerá" realizar algo cuando tu mente te lo ha repetido muchas veces; es como aprender un idioma, la conjugación de verbos ya no nos llama la atención reflexiva, simplemente opera en automático. De la misma manera, el repaso y el cultivo de ideas positivas, bien fundadas y verdaderas, harán que después simplemente estén en nuestro diario convivir. Ésta es una de las mejores noticias que la psicología moderna tiene para todos nosotros. Cultivar una sola idea positiva no es más que sembrar amor a la vida, a nosotros mismos y a los demás. Podemos hacer de este proceso

un delicioso camino y una fuente inagota-
ble de satisfacciones porque la vida tiene infinitas maneras de enseñarnos,
una vez que los visitamos, mundos
positivos que ni siquiera sospechá-
bamos que existen. Mente positiva
al infinito es un camino que podemos iniciar y cuanto más pronto,
mejor.

Sugiero enormemente que tanto
mamá como papá se hagan de un cuader-
no personal y cada vez que lleven un sentimiento a un alto
nivel de negatividad, se den un espacio de tiempo lo más
pronto que puedan y escriban reviviendo la situación de
malestar, todo lo que pensaron relacionado con ella. Después de que hayan escrito ese "primer cuento", vean los
errores de interpretación o descubran las ideas capricho-
sas y exageradas que tienen. Luego escriban un segundo
cuento. Podrían ponerle: "Mi cuento de sana sobreviven-
cia ahora es…"; en él redacten los pensamientos que en
honor a la verdad son respaldados por la vivencia y les
ayudan a calmarse y sentirse mejor. Hagan esto cuantas
veces sea necesario, hasta que aprendan a hablar el idioma optimista y positivo. ¡Sus hijos se los agradecerán!

Este ejercicio también lo puedes dirigir en tus hijos, si
ya tienen la edad, digamos nueve años en adelante. Pide
que escriban sobre un sufrimiento lo que pensaron en el
momento —"cuento pesimista"— y luego procedan a escribir el "nuevo cuento optimista": ante la misma situación,
¿qué ideas verdaderas podemos pensar para manejarla
sabiamente y no irritarnos o sentirnos tan mal? Se sugiere
también la práctica repetida del "cuento que te cuentas".

¿Dónde quedan la rabia, la frustración, el desaliento, la desesperación en la mente positiva? Tenemos sentimientos y es imposible ignorarlos. Hay muchas maneras de encontrar desahogos positivos, válidos y sanos a las frustraciones, además de muchas consideraciones filosóficas y espirituales que pueden ayudarnos a soportar la carga, pero digamos que estos sentimientos son una primera señal para guiar con la mente positiva el desenvolvimiento que deben tener. A veces el ejercicio de pensamientos positivos tiene un afortunado proceso preventivo que hace que ni siquiera llegue la emoción negativa, pero una vez que ésta existe la alternativa es guiarla y conducirla mediante un acomodo mental racional, objetivo, basado en datos y posibilidades, sin extremismos.

Imagina que ves a alguien y te sientes mal, no te va esa persona, incluso tu cuerpo siente una especie de repulsión hacia ella. No la conoces, no sabes nada, no has hablado con ella. Tu pensamiento puede conducir esa emoción con ideas como "no sé qué sentirá en esta reunión, no puedo juzgarla, hay que dar tiempo para conocerla, seguro tiene necesidades y virtudes al igual que todos los que estamos aquí". Con estas ideas te sentirás más tranquilo, más abierto a escucharla y esperar a ver en qué forma se desenvuelve sin esgrimir defensas de tu parte, sin dejarte llevar por pensamientos negativos como: "¿Qué se cree, nos quiere ningunear o qué?", "Tiene cara de amargada", "Observa nada más su mirada, parece que quisiera retarnos"... ¿Qué sentimientos y disposiciones se generarían con ese cuento que nos contamos? La emoción inicial en realidad es conducida por los pensamientos que manejamos y que literalmente van guiando las emociones subsecuentes. La buena noticia es que la "manija para conducirlos", es decir, las ideas, están bajo nuestro control y las movemos para un lado o para el otro.

Veamos otro ejemplo.

Un muchacho de diecisiete años empezó a preocuparse porque "nunca había tenido novia", cuando que la mayoría de sus amigos había pasado ya por esa experiencia. Aun siendo una persona con atractivo no llegaba todavía a su vida la situación de gozar de un amor recíproco. Tuvo un par de experiencias afectivas con chicas que lo rechazaron, en dos ocasiones seguidas y por diferentes circunstancias. Ya empezaba a realizar codificaciones mentales pesimistas y negativas: "Siempre me pasa lo mismo", "Algo tengo que me hace ser rechazado", "Tal vez nunca..." Ello propiciaba inseguridad, autodesconfianza y más ideas de reprobación a su propia persona como "¿Qué tengo en la cabeza, por qué soy así?"

Tenemos aquí una adversidad repetida y un dilema de acción: ¿nos iremos por el camino de la derrota o propiciaremos la construcción de los elementos para que este muchacho enfrente su "adversidad" y la torne en un éxito? A los papás nos duele mucho oír hablar a un hijo así, a veces nuestro consuelo ya ellos lo etiquetan con un enfoque pesimis-

> **En casa hay que estar atentos y prevenir que nuestros hijos lleguen a conclusiones depredadoras**

ta, alegando que hablamos positivamente de ellos sólo porque son nuestros hijos, pero que en realidad no tienen las cualidades que les imputamos.

Este muchacho saldrá con mayor facilidad de su problema si los papás, desde su primer año de vida, inducen en él esta mentalidad positiva. Con eso quiero subrayar el valor preventivo que hacerlo tiene para el manejo de problemas posteriores.

A los diecisiete años, o a edades cercanas a ésta, un problema afectivo es percibido como "vital", aunque nosotros, como adultos más experimentados, sepamos que no lo es tanto. Seguramente ¡les importa más que aprender matemáticas! Sin embargo, si la dificultad se deja correr vía el pesimismo y la negatividad se sostiene, sí puede llegar a ser devastador. La negatividad puede quedarse como un tumor maligno que sigue presente a lo largo de toda la vida. Pero, calma, no tiene que ser así, sí se puede cambiar; esto lo han demostrado diversos estudios y no es una mera expresión motivacional para levantar el ánimo. Por supuesto, se requiere trabajo y hacer las cosas diferentes que se necesitan.

Entonces, en nuestro papel de entrenadores de nuestros hijos, para hacer el optimismo en casa hay que estar atentos y prevenir que ellos lleguen a conclusiones depredadoras sobre sus adversidades, que concluyan con tono fatalista acerca de cualquier problema que tengan, que se aferren a pensar mal de ellos mismos o que practiquen una condena fácil de los demás. Todo esto va en contra del amor y recoge los peores resultados.

Como papás debemos aspirar a que nuestros hijos, ante sus problemas, externen opiniones como: "Sé que voy a salir adelante", "Ya pasará", "Tengo alternativas", "Puedo mejorar", "Soy valioso, no menos que nadie". Si hacemos bien la tarea encontraremos que ya en su juventud será mucho más fácil para ellos salir adelante porque les hemos repetido cientos, tal vez miles de veces, las ideas positivas. No debe haber ahorro en este sentido, sino ¡un despilfarro total!

¡Buena noticia de última hora!

El caso de este joven al que me he referido es real y ha resuelto las cosas; ya tiene una relación positiva con una chica. Según él mismo comentó, lo que más le ayudó fue convencerse, a través de su mente, de que es una persona valiosa tanto como cualquiera y que si en dos partidos de futbol (refiriéndose a las dos chicas anteriores) había salido con empate, eso de ninguna manera determinaba cómo saldría este tercer encuentro, ya que son eventos independientes. Además, conquistó una razón filosófica profunda que llamó poderosamente mi atención. Dice: "Sí quiero el amor e intento dar lo mejor de mí; esto es un motivo de alegría. Es paradójico que haciendo algo tan valioso me sienta en la casa de los sustos, nada de eso, desde ahora voy a disfrutar y valorar que me estoy atreviendo a compartir sentimientos y ¡eso debe ser una fiesta, no la casa de los sustos".

De tal forma, tenemos un caso más de conquista de uno mismo para conquistar otras metas. ¿Estamos preparando a nuestros hijos a que se conquisten a sí mismos? El optimismo es una piedra angular del escenario victorioso.

Yo no sé cuánto vaya a durar su nueva experiencia, pero lo que es nuevo en ella es la actitud con la que la enfrenta, y si ocurren adversidades, como con seguridad las habrá, su inteligencia se irá más hacia el lado del análisis de los problemas que a pensar negativamente de sí mismo. Ello aumenta sus posibilidades de encuentros futuros positivos, adquiriendo experiencias valiosas que le darán mayor poder de decisión. La "infraestructura" que proporciona tener una mente principalmente positiva es la condición para que cualquier experiencia se vuelva enriquecedora. Esa base individual es algo que todos nuestros hijos pueden conocer y dominar para su bien. ☼

Regla cuatro

¡Gracias! Una familia llena de regalos

El agradecimiento es una
competencia que surte al
corazón de alegría, estrecha
los lazos familiares por
siempre y nos abre un infinito
campo de gozo por la vida.

Jeka

Esta maravillosa actitud se pone en marcha simplemente al habituarnos a ver, reconocer, identificar todos los aspectos que la vida nos regala a diario, mediante las experiencias con el mundo y con los demás. Si al final del día escribes las cinco cosas positivas que recibiste al vivir durante las últimas horas y haces de este trabajo un hábito, verás que tu nivel general de contento sube y se amplía considerablemente; eso demuestran las investigaciones.

La gratitud es un bálsamo importante en una organización familiar que opera muchas cosas por rutina. Cuando esto ocurre olvidamos que buena parte de lo que recibimos se debe al dedicado esfuerzo de los demás y no valoramos ya o nos es imperceptible toda una cadena de bondades. Pero eso sí, si se presenta un aspecto negativo, lo agrandamos, lo subrayamos, y si es posible lo seguimos denunciando a los demás miembros del hogar. ¡Qué triste final de una trampa de procedimiento, especie de hueco que nunca llenamos y en el que siempre falta algo, tantos años de amor no considerado y perdido, dejando el espacio al rencor y al olvido! "Mi esposa me ha calentado las tortillas más de veinte mil veces en los últimos años", me decía un señor. "No me conmueve el detalle y nunca lo he agradecido; ahora que estoy solo, me doy cuenta del valor que tuve tantas veces a mi lado y que no aprecié".

Se supone que la familia es una fuente de amor, por lo cual es paradójico que tanto esfuerzo que hacemos en ocasiones no sea reconocido. Cuántas veces fue fuera de casa donde sí se dio el reconocimiento. ¡Tanta energía para servirnos en el fin más noble que puede existir en el mundo y pasa inadvertida!... Es momento de romper para siempre con esto. Nuestros hijos deben saber que ellos dan regalos simplemente por estar presentes y existir, que la vida también nos los brinda; asimismo, deben ver que sus papás saben darse regalos mutuos y disfrutarlos entre todos. La fábrica de regalos más importante de la vida está en la familia, en ella se inspiran los hijos contentos, los hijos felices. Levántate en la mañana sin expectativas y agradece cada cosa que recibes de tus "compañeros de familia" como si fuera la primera vez. Notarás cosas muy interesantes...

El agradecimiento es el mecanismo idóneo para romper este vicio de atender prioritariamente lo negativo y no capturar lo positivo. Servirá a la autoestima de tus hijos y sobre todo para ver otras frecuencias de la vida que le pueden abrir dimensiones inimaginables de goce y esperanza.

Hay algunos ejercicios que recomiendo a los queridos padres de familia que no falten en el hogar. Uno de ellos consiste en que todos los miembros escriban en pequeñas tarjetitas o en un cuaderno por lo menos cinco cosas que la vida les ha regalado en ese día. Al final, deberán llenarse treinta veces, treinta días, y después en un lapso de tres meses, para ir formando el hábito al practicarlo por lo menos una vez al año cada año.

Otro ejercicio consiste en establecer un día a la semana como una "jornada del agradecimiento" en la cual nos decimos las cosas que agradecemos mutuamente de cada uno de nosotros, los miembros de la familia. Puede hacerse una vez al mes y darse un regalito, pero se sugiere enormemente que se convierta en una experiencia repetitiva.

No limites tu expresión de gratitud por cada actitud que te regala tu hijo. Déjaselo saber contento y sin peros. Sé también un modelo de agradecimiento a la vida, y comenta a diario y con frecuencia lo que te ha dado durante ese día. Así crearás una atmósfera positiva que ellos intentarán copiar. Después de todo, ¿no se trata de que el hogar sea el ambiente más edificante posible? Los aspectos negativos que vivimos no tienen por qué volverse aplastantes, y si lo hacen es porque no hemos cumplido con la tarea de poner un contrapeso. Nadie aplasta lo que ya está lleno.

Ante tanto infortunio, incrementos en la carestía de la vida, en la inseguridad y las presiones, entre otras cosas, ¿podemos ser realmente positivos? ¿No pareciese que estamos en un mundo interior feliz, hueco e irreal al proponer esta nueva visión?

La respuesta es no, porque la vida no se presenta en blanco y negro, y lo que ha ocurrido es que a veces la mayor parte de la atención se carga al oscuro. El contrapeso es ver todas las oportunidades luminosas que se nos presentan y que ahí están. Tu hijo puede aprender el pensamiento crítico y el análisis de los problemas, pero también debe saber conducirse en el área de las oportunidades y talentos para el disfrute, goce y dominio de la esperanza de vivir. Queremos ojos abiertos a todo lo que da la vida, no ojos tristes que no reconocen ni saben identificar los rayos de esperanza.

¿Qué hace que pase inadvertido el que nos calienten las tortillas veinte mil veces? ¿Ser realista es negar lo bello que sí existe, porque no está mejor? Mejor demos entrada a todo pequeño regalo que nos brinda la vida. El agradecimiento es la llave de esta nueva puerta.

En cualquier momento la vida puede enseñarnos que ese "pequeño regalo" no era sino el más inmenso, sagrado y bello acto de amor, empolvado en la cotidianeidad de una vida que "debe darnos eso y más".

    ¿Inmenso regalo, sagrado y bellísimo que te calienten una tortilla para que comas a gusto? Sin exagerar, yo pienso que sí. El dolor de no tenerlo sería terrible. Lo pequeño a los ojos de cada día puede ser lo más inmenso de tu película de la vida.

    La vida nos brinda muchos regalos, tus papás se dan regalos, los hermanos dan y reciben regalos. Nada más triste que aquel que no supo ni siquiera ver los presentes que tuvo frente a sí. Esa persona perdió una gran oportunidad; no es lo mismo pasar por la vida como si nada, que ir abriendo y disfrutando cada regalo que recibió. Así, en tanto que uno vivió apesadumbrado, sin sorprenderse, tal vez hasta enojado, ¡el otro vivió una verdadera fiesta! ¿Dónde quieres ver a tu hijo, en cuál de los dos casos? ¿Dónde quieres verte a ti? Aún hay tiempo y hoy comienza. El medicamento del que debes tomar una cucharada diaria se llama agradecimiento. ¿Cuánto cuesta? Consume el mismo tiempo que aferrarte a lo negativo y menos esfuerzo al paso del tiempo. Es otro enfoque, nuevo, en una cultura diferente que de ahora en adelante puede ser la de tu familia.

Sugerencias adicionales

1. Convierte en tu prioridad el hábito de ver lo que la vida te da, disfrútalo y coméntaselo a tus hijos sin atiborrarlos.

2. Si el ambiente es de quejas, tal vez sea necesario un desahogo, pero formaliza la contraparte: "Ahora cada uno puede decir lo bueno que la vida le dio el día de hoy". No permitas que la queja domine en el ambiente de interacciones familiares; por lo menos debe haber un equilibrio uno a uno. Quejas sí, y bendiciones recibidas también.

3. Puedes organizar juegos —no limiten su creatividad— sobre las cosas que la vida nos regala, competencias de identificación de regalos en donde todos ganan, dibujos, agradecimientos y reconocimientos mutuos y visibles. Yo aprendo a agradecer los regalos que recibo de ti, a reconocer los que me da la vida y a saber que yo también soy capaz de darlos a los demás. Además, me llevo la lección de que en mi familia el agradecimiento es muy importante (todos a favor de todos). ☼

Regla cinco
Las palabras deben ser de amor

Las palabras de amor pegan,
como un adherente.

Jeka

¡Me acaba de suceder!

Estaba de visita en Cancún para exponer un tema relacionado con la conducta humana. En el lobby del hotel, una familia recién llegada a sus vacaciones de un estado cercano de la república se aprestaba a registrarse. Vi a la mamá, a la abuelita y a la hija. El parecido entre las tres era muy claro y de paso felicité a la niña, de ocho años más o menos, por tener una familia tan bonita y agradable. De inmediato, la abuela, en forma seria y adusta, como regañándola con la vista, me dijo: "Gracias, si quiere se la vendo". Yo me quedé atónito. La abuela hablaba con expresión seria, de forma tal que nunca tuve la certeza de que lo hubiera dicho en "broma"; espero que eso haya sido nada más, pero hubiesen visto la expresión de la nieta: con mirada tímida, apenada, apenas si daba la cara. La mamá no intervino, nadie dijo nada, yo me fui, sin siquiera saber qué decir dada la sorpresa... Pienso y me entristezco de que ocurran estas situaciones; me pregunto cuántas veces se repetirán en nuestras familias, y cuándo pararemos estos tristes agravios que son verdaderas puñaladas en el alma de los niños.

La cruzada por educarnos como padres para dar lo mejor a nuestros hijos es de altísima prioridad y necesitamos extenderla por todos los rincones de nuestro país. Seguimos siendo tibios al autoexigirnos resultados en esta área primordial. Todos sabemos que son las bases, los cimientos, pero los dejamos como una prioridad muy por debajo de dónde debería estar.

Un alma feliz

Los vasos comunicantes de un alma feliz, satisfecha y en equilibrio se llaman comunicación. En la familia reside la experiencia más significativa de formas de expresión que constituyen las habilidades de relación con el mundo. Los padres de familia tienen que afinar bien sus métodos de relación con los hijos, y guiar, como líderes que son, lo correcto en la forma en que ellos se manifiestan.

La comunicación puede cortar y herir o puede sumar y pegar las partes inconexas, como un buen *collage* de experiencias.

Sugerencias cruciales para los papás

Cuando nuestros hijos infringen las reglas o no cumplen las expectativas que tenemos de ellos y necesitamos corregirlos, se presenta un momento de la verdad.

Aquí podemos descargar la furia y un estilo hiriente y nocivo de expresión, o bien, tener la competencia para decirles las cosas que se requieren sumando y pegando las partes. Del infierno al cielo son las dos alternativas. Si usamos con frecuencia la primera estaremos exportando el sufrimiento a su alma, donde quedará marcado y tendrá dificultad para quitárselo de encima. Papás que critican demasiado y lo hacen destructivamente después convierten a sus hijos en autocríticos destructivos que no se aceptan a sí mismos, lo que agrava sus conflictos y los encamina a la autodestrucción mental aun en su vida adulta. La autodestrucción también será facturada a quienes les tocará rodearlos; así se forman verdaderas cadenas de aflicción que afectan a innumerables personas e incluso a generaciones, sin exagerar.

Nuestros hijos tienen derecho a que se les corrija con amor y los papás tenemos, además del derecho a corregir y establecer las reglas de la casa, la obligación de com-

prometernos con el amor en la palabra. Este momento crucial bien cuidado perdurará en sus almas, beneficiará a mucha gente en el futuro y ¡hasta los nietos se los agradecerán!

Siempre guía sus palabras a construir, a pegar las partes rotas, a sumar.

La corrección con amor: ¿cómo es, en qué consiste?

El que los papás regañen con amor no significa que se vuelvan débiles o renuncien a las disciplinas de casa. Consiste en decirle a tu hijo lo que debe corregir o lo que no debe corregir, y a veces con mucha firmeza pero sin afectar negativamente su personalidad, sin exagerar, sin humillar, sin sarcasmos, comparaciones u otras formas destructivas. La comunicación amorosa señala la acción por corregir y lo que se desea, incluso se puede avisar que se impondrá alguna sanción correctiva.

Ejemplos

- "No me gusta que le digas a tu hermana _____; te pido que la llames por su nombre, no voy a permitir insultos en casa".

- "Ya van tres veces que te pido que recojas tu ropa y la pongas en su lugar. Se apaga la televisión hasta que ocurra lo que te pedí".
- "Comprendo que estás cansada y no quieres hacer nada, aunque te pido que hagas un último esfuerzo".
- "Cuando me dices que no hay nada de comer en ese tono, siento que no te fijas en lo que tú te puedes preparar. Mira bien lo que hay para comer y luego dime en buen tono lo que quieres".
- "Saliste mal en dos exámenes, tenemos que hacer un plan para que esto deje de suceder definitivamente".

Observa que se habla de manera específica, sin exagerar, sin violentar creando definiciones negativas de la persona; se mantiene la apertura al diálogo mediante la ausencia de acusaciones inválidas o infructuosas y aún hay más que hacer...

Si vas a cortar, insultar u ofender en lo que aprendes estas novedades, mejor aplícate y no digas nada. El impulso de corto plazo destructivo involucra a muchas víctimas y tú mismo te sentirás culpable después de haber dicho lo que dijiste que no deberías decir. La comunicación con amor bien vale algunas lecciones de práctica para su dominio. Tú le estás dejando la herencia más importante a tus hijos en una parte en tus palabras. Convierte esa oportunidad en

Tú le estás dejando la herencia más importante a tus hijos

un tesoro, más valioso a la larga que muchas propiedades físicas. Es un mandato de la vida que nuestros hijos reciban buen trato en el proceso educativo; si no el aplauso, sí la cordialidad, si no la celebración, sí la cortesía, si no la aprobación, sí el señalamiento de lo que debe y puede alcanzarse para mejorar.

Deja abierto siempre el diálogo y búscalo en el momento oportuno.

A veces decimos las peores cosas en el peor lugar, hay prisa, no hay tiempo...

La comunicación con amor establece a los papás como servidores de sus hijos, eso es lo que debemos hacerles sentir: "Aquí estoy para ti, cuando tú lo necesites, mi afán es ser para ti y mi tarea es escucharte". No abrumar con consejos no solicitados es importante. Otra de las claves es estimular en cada oportunidad con reconocimiento verbal explícito lo que hacen bien y ser "auténticos".

Se acabó la época de los padres perfectos o superhéroes que no sienten o son invulnerables. La comunicación requiere expresión vital como es, sin censura, aplicando lo que somos tal cual, sin juicios condenatorios; río, lloro, expreso mi dolor, mis preocupaciones y todo lo que soy. Lo más saludable en casa es "dejarnos ser". Se vale hablar de todo, no hay temas prohibidos; según las investigaciones, los hijos que hablan de sexualidad con sus padres son los que con mayor responsabilidad manejan su propia conducta sexual como jóvenes.

Deja fluir las expresiones, pero orienta para que éstas se den en un marco de respeto. Si alguien está enojado, se acepta que externe su malestar, pero no tiene que

ofender. Es muy sano que tus hijos no se queden con las ideas, dudas o sentimientos que desean expresar, que salga todo sin temor, aunque sin violar los derechos de los demás. Los sentimientos simplemente son, no hay que reprimirlos o atacarlos, el concepto es el que los orienta. "Estoy triste, mamá, porque nadie me quiere"... Déjala expresarse y oriéntala con un concepto: "¿Nadie te quiere? ¿Nunca?"... Desafía, cuestiona las ideas falsas, catastrofistas y pesimistas.

El que se guarda sus sentimientos por temor forma una bomba de tiempo en su interior, en tanto que el que los expresa abusivamente crea una en su exterior. En ambos casos se pagan consecuencias poco saludables. El equilibrio radica en la expresión con la que se afirma a sí mismo y se respeta al mismo tiempo, buscando o siendo sensible al contexto en que se da la comunicación, en tiempo, forma y lugar. Llevará años ir puliendo estas habilidades y este enfoque, pero con seguridad será la mejor inversión para la salud, la satisfacción y los buenos resultados en general.

Actuar asertivamente (afirmativamente) es la comunicación más saludable y esto requiere que la aprenda todo miembro de la familia. Es como la aritmética básica para pasar de primaria a secundaria.

La comunicación requiere práctica. Haz juegos con ella, observa cuándo tus hijos quieren atención personalizada, sin invadir pero siempre alerta para servir.

Expresa tus preocupaciones con respecto a ellos, lo que te pasa también, lo que sientes, pero en el contexto de sacar algo mejor siempre de esos contactos, no para divulgar las quejas y las culpas.

Prepara una lista de palabras de cortesía que quieres escuchar en casa y empieza a sembrarlas en el hogar: frases de cordialidad, de empatía, de consideración, de invitación a... Verás que estos tonos empezarán a reflejarse y multiplicarse para el bien de todos. Hay muchas palabras cálidas que promueven un ambiente más que saludable, hasta feliz.

Si ustedes, los papás, tienen problemas serios de autoestima, un concepto bajo de sí mismos, una autocrítica muy destructiva, la probabilidad de que transmitan a sus hijos estas mismas cosas es muy alta. Busquen ayuda. Lo bueno es que pueden hacer muchísimo por mejorar y créanme que nunca se arrepentirán. Sus hijos, dentro del dolor que hayan vivido, tendrán el bálsamo de saber y darse cuenta de que sus papás, con todos los errores posibles, luchaban para crecer y actuar de manera más positiva en la educación de sus hijos y en ellos mismos. Esta lección prenderá la mecha eterna del valor del crecimiento personal para dar lo mejor a los demás y será irreversible la huella que dejarán por la bondad intrínseca del amor que buscaron transformar. Ésta quedará sin duda para siempre, así que a trabajar, no hay tiempo que perder, ni oportunidad para dejarla pasar. Con todos los errores cometidos está la opción heroica de sembrar futuros luminosos y ellos lo notarán para fortuna de todos.

Escuchar es un proceso que requiere energía al prestar atención.

Los niños dicen muchas cosas por medio del juego. Jugar con ellos no requiere mucho tiempo, pues se conforman con poco tiempo de nosotros, si realmente nos entregamos a ellos.

Quieren decirnos algo, saber que estamos con ellos y para ellos, desean atención no dividida, y si captan eso los beneficios se notarán de inmediato en la armonía familiar.

En el caso de los adolescentes saber escuchar requiere una destreza especial. Ellos aprenderán a hacerlo si tú brindas el modelo; no des consejos si no te los piden —en general ésta es una buena recomendación—, no evalúes, critiques o juzgues su proceder, déjalos ser pero con la expresión clara y respetuosa de tus temores y preocupaciones. No imagines algo que tu hijo no te demuestre realmente y siéntete con el derecho a negociar los límites, poner énfasis en los valores y los deseos que tienes para

El diálogo debe mantenerse grato, propositivo, humano y amoroso

bien de ellos. Tu influencia es la de aquel "amigo incondicional" con quien se puede platicar de todo, pero con un tono de más experiencia. Aquí los papás hemos de aprender cuotas de flexibilidad, racionalidad, negociación ganar-ganar y manejo de conflictos. Está equivocado el camino de las polarizaciones, de los extremos en donde se pierde el diálogo. Éste debe mantenerse grato, propositivo, humano, cordial, intuitivo, inteligente y sobre todo amoroso, rebosante de apoyo, de querer ganar juntos la partida de la vida sin "correrlos de su lugar". Todo hijo adolescente quiere padres así y bien lo podemos ser. Un mal síntoma son las discusiones impositivas, sordas y autoritarias; un buen síntoma son los acercamientos amorosos, tranquilos, en donde se escucha y se propone de manera abierta y ventilada todo lo que se desea, lo que se siente y lo que preocupa de ambos lados. Nuestros hijos jóvenes no adquieren maldad simplemente porque ya ven la vida desde otra altura, y formar equipo con ellos es lo más inteligente. En mi opinión, conservar esta noción es casi el triunfo total de nuestra labor educativa.

Nada justifica que uses "palabras que cortan" contra los niños, así hayan roto algo valioso o descompuesto un objeto, o manchado algo; ninguna cosa material vale la tristeza del alma que se provoca por las ofensas y las palabras crueles.

Dí no al escalamiento

El "escalamiento" es un proceso investigado en la psicología de las relaciones humanas. En él una persona alza
la voz en señal de poder para que la otra ceda; si ésta lo
hace, ahí termina el proceso. Sin embargo, la misma fuerza del grito puede invitar a que la otra persona también
intente responder así, sólo que lo hará subiendo el tono
con el que se le habló; si su interlocutor cede ante ello,
ahí puede terminar el conflicto, pero es probable que el
otro conteste con un tono aún más alto y añada algo más
violento, hasta llegar a los golpes.

El proceso es una trampa que puede ser mortal. Ha
habido casos de personalidades que no son de rasgos vio-
lentos y que en un entrampamiento de este tipo han lle-
gado hasta a matar a la otra persona. Desde luego, esto
debe evitarse a toda costa. Las parejas deben tener sus

botones "salvavidas" para no ponerle este tipo de leña al fuego, o retirarse a tiempo, o dejarlo por la paz, o interrumpir el proceso con alguna distracción. Ambos tienen algo que poner, y a los hijos les podemos enseñar lo mismo, hay topes, alto. La regla de esta casa es que platicamos con calma; si ella no está, ¡nosotros no estamos para platicar!

Es falso que uno no pueda controlarse. Un señor comentó que le "salía lo Gutiérrez", justificando su impulsividad por agredir ante la invitación que planteaba un reclamo. Puede estar tranquilo, no hay una genética del vandalismo, el apellido tiene nombre y éste es aprender a expresarse y respetar. ☼

Regla seis

Todos tenemos necesidades

Las necesidades nos mueven a
todos, chocamos en lugar
de avanzar, cada vez que
no lo entendemos.

Jeka

Una muy buena recomendación es que ustedes, padres de familia, se acostumbren a ver que las motivaciones de sus hijos, y en realidad las de todos los seres humanos, obedecen a necesidades que se quieren satisfacer. En ese sentido no hay nada que deba sorprendernos y la familia tendrá que volverse una "fábrica inteligente de satisfacción de necesidades de todos sus miembros". Es imposible que funcione a la perfección, pero es posible que sea perfectible y cumpla cada vez más eficientemente con esa función.

¿Por qué sugiero esto? Parece muy evidente, pero en muchas ocasiones no lo aplicamos así. El niño que está

excedido de peso no lo está por "glotón", la niña que obtiene bajas calificaciones no lo hace por "floja", el llanto continuo e incontrolable no es causado por una persona "llorona". Con esto les presento el otro enfoque, aquí la *causa* de los actos humanos son problemas de la "personalidad deficiente" de los niños y eso a lo que nos ayudará es a crear disciplinas de pellizcos, gritos y trancazos. Se "arreglan" las cosa a corto plazo y se convierte en un régimen de castigos y miedo. Pero de esta manera sólo se tapan los problemas, los cuales se repetirán y con la misma metodología del señalamiento a sus personitas tenemos el cuadro ideal para seguir surtiendo todo tipo de amenazas y castigos.

Dado lo anterior, tenemos dos enfoques desde los cuales explicar las motivaciones de los demás para actuar como actúan. En el primero se busca conocer las necesidades humanas que hay detrás de cada acto y que la persona busca satisfacer, para así poder hacerlo con mayor inteligencia. El segundo se concentra en la "personalidad negativa" del individuo, por la cual hay que reprenderlo simplemente para que las cosas sucedan. El primer esquema es el más poderoso y soluciona en realidad las cosas, no sólo resolviéndolas, sino disolviéndolas de tal manera que ya no vuelven a suceder.

Mis hijos se comportan así porque...; tu respuesta a este cuestionamiento será clave para el método educativo que elegirás. No es natural que los niños quieran leer, estudiar, bañarse y comer verduras, eso es todo un proceso de cultura que lleva años enseñar. Para ellos su necesidad fundamental es la búsqueda de placer y harán todo lo posible para que este placer continúe de manera desenfrenada por todos los medios a su alcance. De ahí que no sea fácil que obedezcan o que prefieran ver televisión a bañarse o enfrascarse en otros deberes.

La necesidad de encontrar lo que les gusta y acomoda no los hace condenables; más bien, nos reta a tener buenas motivaciones, reglas claras, disciplinas positivas con las que incluso aprendan que lo que no parece placentero puede llegar a serlo, como leer o comer un buen plato de alimentos sanos. Pero esto tiene que enseñarse con inteligencia, conociendo la necesidad. ¿Cómo puedo satisfacerla de forma tal que al mismo tiempo se cumpla con la meta educativa de la casa? La creatividad de las mamás y los papás no tiene límites, a lo largo de mi experiencia he escuchado casos y casos de ingeniosos métodos para lograr que sus hijos hagan las cosas y a la vez se diviertan.

En la niñez uno de los pasajes más desesperantes que vivimos es cuando nos juzgan, nos tachan y no se nos entiende. Un buen día, habiendo puesto nuestro mejor esfuerzo, el adulto nos dice "flojos" y queda el resentimiento, el cual nos invita a la revancha y a dedicarnos en verdad a la pereza o, lo que es peor, *empezamos a juzgar de esa manera tachando a los demás por sus errores,* sin comprenderlos, sin ponernos en sus zapatos. Como no lo hicieron con nosotros, no lo haremos con los demás, aun cuando todos necesitemos acercarnos a conocer las causas humanas de lo que nos pasaba. Pareciera que tomamos clases para espinarnos y alejarnos de lo que más desea nuestro corazón, es decir, ser comprendidos.

El niño gordito que se comía los chocolates

Recuerdo el caso de un niño que en la época de Navidad y queriendo ya participar en el intercambio de regalos con sus hermanos, con su propio dinero que ahorró poco a poco les compró chocolates —los que más le gustaban a él, desde luego—, y pensó: "Puedo regalarles a todos y aprovechar tomar unos cuantos para mí" Así, para el intercambio, en el que participaba por primera vez, abrió los paquetes y sacó unos cuantos de cada uno, haciendo nuevas envolturas. Pues bien, todos se burlaron de él, de cerdo y tragón nadie lo bajaba, y se lo recordaban muchos meses después. Nunca nadie se le acercó y le dijo: "Oye, hermano, gracias por los chocolates que nos diste a pesar del esfuerzo que has de haber hecho para no comértelos todos; regalaste casi todos y tú te quedaste con apenas unos cuantos de tu compra, gracias, felicidades" ¿Imaginan algo así? Pareciera insólito, pareciera que Don Quijote cabalgara de nuevo, pero ése debería ser el tono de descubrirnos mutuamente, no con descalificación y el salvaje descuento que de inmediato hacemos. Visualiza el intercambio continuo de un niño con la comprensión de cómo será en el futuro o a otro con constantes experiencias de juicio negativo y descalificador. Lo que hagamos con ellos se verá reflejado en los demás.

Sembrar sí recoge

Si el modelo no enseña muchas veces la comprensión, entonces, sencillamente no comprenderemos. Aquí reside uno de los principales errores de la educación en el amor: sembramos el juicio fácil y descalificador, y al mismo tiempo nos damos por sorprendidos al ver tanta violencia y agresión. ¿De dónde va a surgir algo que no tuvimos el cuidado de sembrar y que debe ser regado todos los días?

Somos lo que sembramos y aquí seguimos siendo muy débiles en una de las reglas que debería ser generalizada en todo acercamiento familiar, para empezar después a tenerla y aplicarla a los demás, entre países, en el mundo. Familia es cimiento, sí, pero pareciera que lo es y no lo es. Si resulta tan importante como lo vemos, la exigencia debe ser mucho mayor. Hagamos del entendimiento mutuo la razón de estar en convivencia, no menos.

Ahora bien, las mamás también tienen necesidades, al igual que los papás, la pareja y la familia. La recomendación es identificarlas, listarlas e intentar que todos cumplan por lo menos con las más importantes, en equilibrio, ya que si alguno está cediendo la

> **Nuestros hijos tienen derecho a ser evaluados como seres humanos con necesidades**

Entablen un diálogo de forma tal que se comprenda la desesperación

satisfacción de sus requerimientos en el largo plazo, al no atenderlos terminará por explotar y toda la familia pagará un precio. Ya no hay víctimas útiles en el hogar y si las hay, esto sólo refleja un mecanismo ineficiente de satisfacción de necesidades en la familia.

Se preguntó a las esposas qué necesitaban de sus maridos y en su mayoría dijeron lo siguiente:

1. Poder hablar con él (cuántas veces hace falta que los maridos refuercen este aspecto con sus cónyuges).
2. Detalles de afecto (otra cosa que nosotros olvidamos con frecuencia).
3. Honestidad.
4. Que sea productivo.
5. Lealtad a la familia.

Cuando se le preguntó a ellos qué necesidades esperaban cubrir con sus esposas, respondieron:

1. Sexo.
2. Buena compañía social.
3. Atractivo físico (que no se descuide).
4. Admiración.
5. Apoyo doméstico.

Es muy interesante ponernos en la frecuencia del análisis de las necesidades de cada uno. Con estos cinco puntos ya ¡tenemos tarea!

Un buen consejo que le doy a muchas señoras es: "Tú finge, pero admíralo a toda costa y verás que doblas quincena". Es broma.

Si te acostumbras a ver las necesidades que hay detrás de cada acto de la persona se facilita la renovación de la relación que debe ser una constante en la familia. De tal manera, un "agravio" que ocurre por la búsqueda ineficiente de satisfacción de una necesidad puede analizarse y perdonarse buscando una opción mejor. Pongamos un ejemplo:

Uno de tus hijos empieza a insultar a todos porque no encuentra algo suyo... ¿Cuál es su necesidad? ¿Por qué tiene que satisfacerla de esa manera? ¿Actúa con mala fe o está desesperado? ¿Dónde ha aprendido a manejar así su desesperación? Entablen un diálogo de forma tal que se comprenda la desesperación, mas no se justifique la forma de proceder, se perdone la falla y se renueve la relación con un compromiso de manejar esa necesidad con respeto. Incluso puede practicarse.

Cuando se va contra la personalidad, pensando en lo "malo que se es", se genera más agresividad, encono, odio, y se aleja de la renovación, del perdón. Todos cometemos errores y actuamos con poca conciencia. La familia

debe distinguirse por ser *la oportunidad infinita del perdón y la renovación*. El amor fluye y se rescata a sí mismo brillando mejor, si y sólo si ponemos los ingredientes del análisis que ve al ser humano como un ser en necesidad, cuya realidad no hay que condenar sino ayudarla a llegar a ser plenamente capaz.

Nuestros hijos *tienen derecho a ser evaluados como seres humanos con necesidades* en todos los casos y no como personas "torcidas" o "maléficas" que merecen por ello todo tipo de improperios o penalización dañina. El hogar debe ser la fuente de comprensión número uno, del análisis inteligente de los problemas del corazón y el crecimiento. Mientras no logremos esto no tendremos sociedades plenas. ✿

Regla siete
Primero el esfuerzo, luego el placer

En la formación de un hábito,
en sus inicios, es indispensable
el apoyo externo.

Jeka

La disciplina es uno de los talones de Aquiles de los papás y muchos conflictos se generan por deficientes aplicaciones de ésta. Una razón es que con tantas teorías sobre los niños y sus "traumas" muchos papás se sienten culpables si corrigen; no quieren ver infelices a sus hijos, de modo que se vuelven permisivos y consentidores en exceso. Esto quiere decir que renuncian a formar las habilidades o competencias y hábitos básicos que se requieren.

Los "traumas" acaban siendo para los papás que se sienten ineficientes y no encuentran solución al orden en

casa. Recuerdo a unos papás a quienes les recomendaron que llevaran a su hijo a dormir con ellos porque orinaba la cama —la razón, se adujo, era que le "faltaba cariño"—; pero, lejos de solucionarlo, amanecían todos orinados y el niño siguió igual… ¡hasta los veintidós años! (no, es broma, un mes después se cambió la estrategia).

En otro extremo está la educación autoritaria e irracional que tanto se preocupa por formar la disciplina que roba a los niños su alegría, creando una esfera de temor a las represalias y al castigo. La posición equilibrada está en conservar las dos cosas, disfrute por el aprendizaje y resultados.

Si tienes que insistirle a tu hija para que haga la tarea a las diez de la noche, lo único que observo ahí es que ella está imponiendo las reglas en la casa y buscará siempre optar primero por el placer. Después, por lo mismo, discutirá, prometerá, a veces con conceptos ingeniosos que nos ponen a pensar. Pero si el resultado es evadir las reglas, no habrá cambio; por el contrario, cada vez repelará mejor y con mejores reflexiones.

Sólo les sugiero una dulce firmeza, ordenar las prioridades de tal manera que primero se haga el esfuerzo cotidiano correspondiente y con la calidad pactada y visible. Entonces se dará tiempo para el esparcimiento y todas las actividades placenteras. El corte puede ser por veinticuatro horas, ya que hay actividades que por el horario tienen que darse para el día siguiente. Si haces esto, los resultados se verán de inmediato.

Otros principios de sana motivación

En la formación de un hábito, en sus inicios, el apoyo externo es indispensable.

Si tus pequeños están iniciando algunos hábitos, como lavarse los dientes o poner las cosas en su lugar o cualquiera que implica autocontrol y desarrollo de orden, establece un plan por día, grafica con estrellitas la ocurrencia de la acción que se desea cuando la cumplan, brinda aplauso o reconocimiento y celebra con ellos el cumplimiento de, digamos, tres o cinco estrellas a la semana (el domingo será el día de descanso). Procura que todos los adultos de casa lo feliciten por la acción. Así generarás un gran apoyo motivacional. Trabaja sólo una competencia y sigue el plan. Pasado un mes elimina las estrellas y reduce la motivación apegada a esa acción; para tu sorpresa verás que el niño la interioriza y empieza a realizarla por su cuenta. Los planes motivacionales son ayudas inteligentes. De alguna manera alguien las ha identificado como sobornos y chantajes; nada más alejado de la realidad. Es muy diferente pagarle a alguien para que haga un daño, a provocar que tu hijo adquiera, por ejemplo, el amor por la lectura, con base en asociar experiencias agradables con otras que son neutrales de manera natural. Leo, obtengo gratificación intrínseca y extrínseca.

Con el tiempo leer será en sí mismo gratificante. Imagina que cada vez que me baño me va mal; como producto de esa asociación, intentaré por todos los medios no volver a hacerlo. Los hábitos son eso, conjuntos de comportamientos ligados y que nos llevan a un resultado que debe ser positivo si está bien planeado.

Motiva lo apropiado y negocia consecuencias para lo inapropiado.

Los niños en su crecimiento, y todos en general, experimentamos consecuencias dolorosas por nuestros errores. A veces, gracias a ello evitamos peores experiencias ya que el aprendizaje previene nuevas fallas. Nadie crece sin dolor.

Sin embargo, el hecho de que exista una consecuencia para nuestros hijos que les duela, no quiere decir en absoluto que los dañe. Por ejemplo, si pierde derechos para jugar en la computadora por una acción irrespetuosa que cometió ese día, no le pasará nada; le dolerá, pero seguro aprenderá. Lo que hay que evitar es el "daño psicológico" de la consecuencia, el cual ocurre si estallamos emocionalmente con exageración, lo humillamos, despreciamos, comparamos, ofendemos y le pegamos. Eso sí que debe estar fuera de nuestros repertorios de enseñanza, por completo, tolerancia cero.

Tomando en cuenta lo anterior, las consecuencias que puedes aplicar para tus hijos y que no provocan daño psicológico son las multas, pérdidas de privilegios o la reparación del daño causado. Éstas deben implantarse por evento y sólo por esa ocasión, no duran meses ni mucho menos son eternas. Si tu hijo incurre en lo mismo, se impone la sanción, pero algo muy importante es que, al mismo tiempo, si corrige, tenga acceso a un reconocimiento y a recuperar el privilegio durante el día siguiente. La renovación y la oportunidad de recuperación son explícitas y están permanentemente abiertas en el corto plazo.

Recuerdo cómo un muchacho de secundaria con calificaciones muy bajas se recuperó de las amenazas de reprobar el año. Sus papás lo castigaron y le retiraron el privilegio de hacer lo que más le gustaba: entrenar futbol americano por las tardes. Por consiguiente, ni mejoraba sus notas ni aprovechaba el desarrollo y disciplina que da un deporte como éste, pues se la pasaba encerrado en casa. El asunto se resolvió totalmente al cambiar la regla y hacerla más acorde a los principios de las leyes motivacionales que la ciencia psicológica pone a nuestra disposición.

La regla cambió así: si el joven hacía bien su tarea cumpliendo todos los requisitos un día, al día siguiente tenía la oportunidad de ir al entrenamiento. Y así sucesivamente, la regla podía seguirse aplicando si mejoraba el promedio.

Eso bastó. Tres meses después el papá me informó que su hijo había recuperado lo perdido y pasaba el año.

El principio es el siguiente: primero el esfuerzo, luego el placer (mantenerse dulcemente firme), motivar con reconocimiento y privilegios las competencias o actitudes que son deseables en lo que se vuelven hábitos automáticos, y sancionar o implementar experiencias o consecuencias de reflexión en las conductas desfavora-

bles (sin ofender). *Estas operaciones deben ir juntas y aplicarse a diario.*

En ocasiones los padres de familia cometemos el error de sólo castigar. No reconocemos cuando un hijo hace lo deseado. Es como si un entrenador te dijera sólo en qué fallas y no en qué aciertas; el paquete debe estar completo.

Los castigos exagerados y "eternos" en la familia apabullan, demeritan, suprimen el entusiasmo y no sirven para la recuperación, ya que dan pie a resentimientos de difícil disolución. Además, muchas veces no se cumplen y sólo dejan en entredicho la autoridad de los papás.

El "nombre del juego" de utilizar la fuerza motivacional positiva de los papás es dar oportunidad permanente a la recuperación, al crecimiento, al nuevo intento. Para ello sus aplausos, las actividades que realicen de manera gustosa o aun las pequeñas dádivas en privilegios materiales son señales de que el camino que se sigue es el adecuado: renovación constante → sensibilidad → festejo del acierto →

derecho a sentirnos bien por lo que hacemos correctamente → un paso más.

Por otro lado, el "nombre del juego" de una sanción o consecuencia de multa o pérdida de privilegios o reparación del daño es dar la oportunidad de reflexionar sobre por qué llegamos a eso y qué debemos hacer para recuperarnos. El compromiso nuevo crea actitudes diferentes en un ambiente hogareño de amor en el que se puede experimentar y aprender, lo que es mucho mejor que llevar lecciones más amargas en la selva de la vida.

Tu hijo debe aprender que respetar le conduce a consecuencias positivas y no hacerlo le lleva a dificultades mayores.

La familia es —y todo ambiente educativo debería serlo también— la cuna de la oportunidad infinita, oportunidad de desarrollar la inteligencia en todas sus formas, una y otra vez.

Si los padres sólo dan privilegios y no les exigen a sus hijos asumir responsabilidades, lo que provocarán es que sean apáticos y depresivos, ya que hagan lo que hagan tendrán todos los beneficios; por tanto, no valoran las cosas y pueden empezar a probar emociones más fuertes al llevar a cabo actos de vandalismo o acciones antisociales y hasta peligrosas. Sobreproteger debilita y nuestros hijos tienen derecho a sentir que es por su esfuerzo que se logran las cosas; esta seguridad básica les servirá toda la vida.

> **Sobreproteger debilita y nuestros hijos tienen derecho a sentir sus logros por su esfuerzo**

Existe una alta correspondencia entre lo siguiente:

☼ Manifestación de una competencia deseable ····· ➤ Sube la autoestima y el sentido de logro ("yo puedo")

Se obtiene un privilegio o consecuencia positiva····· ➤ Se tiende a buscar repetir la acción

☼ Recibo una consecuencia negativa (sin ofensas) por un comportamiento irrespetuoso o de incumplimiento ········ ➤ Reflexiono y establezco mejores formas de actuar

En el caso de los pequeños, la inmediatez es crítica. Hasta los siete años el reconocimiento debe ser inmediatamente posterior a la acción adecuada mediante elogios, estrellitas en la pared y alguna actividad agradable.

Inmediatez = un segundo después
de que ocurrió lo agradable, de preferencia

¿Pleitos en casa entre hermanos?

Haz este plan:

- Comunica abiertamente la regla de la casa que clama por el respeto mutuo.

- Establece que cada día en el que impere el respeto (sin pleitos) llevará a consecuencias positivas para todos los involucrados.
- Negocia qué consecuencias o sanciones se aplicarán a todos los involucrados para reflexionar sobre ese camino infructuoso y las propuestas de solución que deberán presentar una vez cumplida la sanción, por ejemplo, veinticuatro horas sin computadora.
- No investigues quien empezó (a menos que haya una evidencia muy clara). Ambas partes, o los que estén involucrados, deben hacerse responsables de su relación. A veces la aparente "víctima" en realidad adopta muchas acciones provocativas; lo más conveniente es que aprendan a llevarse en los buenos momentos y a ignorarse en los potencialmente escaladores de un conflicto. Por tanto, la sanción es para todos, sin averiguación.

Día de respeto	Día de guerra (faltas al respeto o agresión)
= permiso para salir con los amigos, por ejemplo, o privilegios de uso de televisión y computadora	= consecuencia de pérdida de privilegio + reflexión acerca de por qué se cayó en eso + propuesta de qué hacer para cultivar el respeto y no caer en la relación destructiva

Así se genera la oportunidad para el día siguiente, en el que pueden ganar si cumplen con su día de respeto o volver a perder si incurren en otro "día de guerra".

95

La inconsistencia de reglas es un problema

Es preferible que los papás a veces no tengan reglas totalmente perfectas, pero que se ayuden a ponerlas en práctica con consistencia y presenten un frente común, a que falten definiciones claras o haya discusiones con el resultado de que un padre aplica una cosa y el otro no. La ansiedad que provoca en los niños la incertidumbre respecto de la ejecución de las reglas es dañina.

La inconsistencia genera estrés y desgaste, pues el niño tiene que aprender cuándo aplica la regla, cuándo no, cuándo quién sabe, cuándo hay cambios de última hora y cuándo se salvará. Es demasiado, la situación no le brinda paz emocional; si no se la brindaría a un adulto, menos aun a un niño.

Es indispensable hacer un frente común de amor, con base en el respeto, reconocer y disfrutar el acierto, aprender del error y reparar los efectos de los comportamientos que sobrepasan los límites, previniendo que vuelvan a ocurrir.

El divorcio

Dentro de este proceso una de las claves es mantener, pese a las dificultades de la separación, las mismas reglas para ellos, procurar que no cambie su entorno de afecto, la frecuencia del contacto cotidiano y la certidumbre. Ellos no tienen por qué pagar, lo sabemos y nunca te arrepentirás de entregar a tus hijos un gran tesoro en estos momentos tan difíciles: regálales *cero comentarios negativos de tu pareja*. Eso valdrá más que cualquier cosa material. ✿

Regla ocho

Los pequeños pasos se vuelven grandes

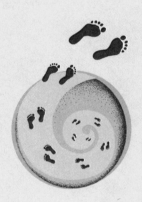

El desánimo para lograr
muchas cosas se debe
a que no las convertimos en
muchas "pequeñas" cosas.

Jeka

Muchos intentos → pequeños pasos → grandes conquistas, esa es la secuencia de la labor de los padres. No pierdas de vista las siguientes consideraciones y obtendrás —te lo aseguro— buenos resultados de lo que sembraste.

- No le pidas a tu hijo que lea un libro, mejor que lea una página.
- Si apenas empieza su primer párrafo, que no diga "chocolate", que empiece con "cho".

No cedas, busca impactar lo mejor con lo que quieres transmitir

- Que no haga todos los días la tarea. Si en promedio la hace una vez a la semana, que suba a tres veces y luego a cuatro.
- Que practique ejercicio cinco minutos al día.
- Que piense positivamente ante un problema y en que la vida le dará muchas oportunidades.
- Que diga una palabra agradable a los demás.

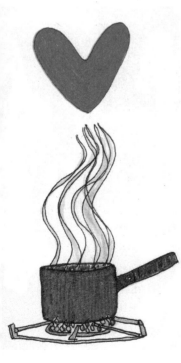

Un error frecuente de los papás consiste en creer que con expresar el problema, basta para que éste se arregle. La mayoría de las veces la vida nos demuestra que se requiere más y eso, además de todo lo señalado, es *establecer metas realistas*. Observa a tu hijo durante una semana y toma nota de su manera de actuar para, a partir de ella, fijar una meta gradual, un poquito mejor que la anterior pero no del todo. Por ejemplo, si su nivel de lectura es un promedio de una página al día (en dos días no hizo nada, un día leyó dos, y otro cinco), una meta realista podría ser elevar el promedio diario a 2.5, que implica hacer más de dos y es mejor que lo anterior. Ahora bien, no pidas que sean cinco diarias, el cual fue su rendimiento excepcional, y así sucesivamente. Por supuesto, la idea puede variar con cada caso y comportamiento, pero el sentido es actuar con paciencia e inyectar motivación mediante pequeños cambios. Esto

los llevará más lejos que sólo esperar, exigir a ciegas o dar bandazos dejándolo todo para el final. *Un poquito diario* es un cimiento que después nadie podrá derrumbar.

La clave que está detrás del tema de los "pequeños pasos" es la de crear todas las condiciones posibles para que nuestros hijos caigan en la condición del éxito. No queremos ya que se queden a un paso o a dos; ellos tienen derecho a experimentar el camino del logro en el que su potencial se desarrolla. No queremos el "ya casi" y mucho dependerá de que establezcamos las proporciones y medidas adecuadas para que sí logren lo que se desea. La vida de aprendizaje en ellos debe estar plagada de vivencias del sí y amarlos es proporcionar este terreno en donde caminarán y después correrán.

A los papás les corresponde sembrar y sembrar sin descanso, pero pueden confiar en que los frutos seguramente sí se darán. No cedas, busca impactar mejor con lo que quieres transmitir, eso siempre se puede realizar de una manera más efectiva, esperando el momento oportuno y sin abrumar.

Cualquier cosa que implique un paso hacia la meta, una pequeña aproximación, un avance, reconócelo con creces. No expreses lo que falta, ella o él ya lo saben, sólo motiva las "aproximaciones sucesivas hacia la meta". Si puedes dividir el objetivo en partes claras y precisas, mucho mejor. Así podrá disfrutarse el arribo a cada "estación". Esto puede hacerse de manera muy creativa dibujando cuadros que alegremente simbolizan el avance, por ejemplo manzanas que se colocan en un árbol, entre otras cosas.

Se trata de sumar en toda ocasión, porque el otro enfoque de "nunca es suficiente" o "siempre pudiste hacerlo mejor" es un truco virtual para estar permanentemente presionado e insatisfecho; es un fantasma y, como tal, no existe en realidad porque la perfección humana no es una meta fija, todo es mejorable, sumatorio y perfectible. Sin embargo, la vida merece vivirse y gozarse; mientras tanto, puedo usar un enfoque de martirio o de automotivación y yo elijo.

Sobreproteger debilita. Cada vez que nos involucramos en ayudar a nuestros hijos es necesario que distingamos qué les es posible hacer y cuáles son las condiciones que debemos facilitarles para que lo hagan. Es difícil tener siempre la línea clara entre estas situaciones, pero el máximo enemigo que nos instiga a realizar tareas por nuestros hijos es el sentimiento de culpabilidad o de dolor cuando los vemos esforzarse en algo que les está costando trabajo. Quisiéramos que estuviesen siempre felices y todo les resultara fácil. Muchos papás se gradúan de nuevo de primaria junto con sus hijos ya que les hicieron un gran porcentaje de las tareas y estudiaron

por ellos lo que debieron hacer solos, o con guía. Hay que tener calma para esperar la respuesta, el resultado del esfuerzo y alentar el compromiso de la independencia tan pronto como sea posible. De tal manera, un niño de tres años puede empezar a poner algún juguete en su lugar, entre otras cosas.

Incurrir una y otra vez en salir al rescate de lo que ellos deben intentar es dejarlos vulnerables al futuro porque no habrán hecho las suficientes pruebas y ensayos para saberse capaces de realizar las cosas. Además, los niños aprenden a manipular a sus padres, desde luego no con mala fe, pero sí con habilidad para dejarse "consentir", lo cual puede volverse un problema. Observa que tu móvil no sea la impulsividad para dar alivio inmediato a tu hijo y si sospechas que lo estás sobreprotegiendo, analiza lo que hacen los demás, consulta, indaga y, paso a paso, rompe con esta actitud.✿

Regla nueve

La felicidad se trabaja…
la infelicidad también

Vivamos día a día,
viendo lo positivo,
consumiéndolo.

Jeka

U na vez que vivimos el milagro de tener un hijo, a los padres se nos regala otro, puesto que gracias a este pequeño contamos con una segunda oportunidad de aprender a ser felices y, además, de gozar el poder enseñarle lo que cada uno de los padres tiene para que se beneficie en forma duradera. Delicia más grande no puede haber.

Este "segundo milagro" nos reta profundamente a revisar lo que hacemos y dejamos de hacer para intentar mejorar y llevar a términos óptimos nuestro proceder. ¿Sabemos nosotros ser felices? ¿Tenemos los elementos para dar a nuestros hijos competencias relacionadas con la felicidad? Los papás enfrentamos el desafío de que nuestros hijos sean felices, pero nadie da lo que no tiene. Bendita oportunidad la que te ofrece tu hijo para asegurarte de que lo que quieras darle a él, lo tengas tú primero y cambies o aprendas cosas que te regalarán bendiciones que podrás transmitirle.

Crecer en felicidad

A continuación puntualizo criterios, enfoques y competencias que conviene subrayar para que el ambiente familiar crezca en esa gran capacidad que se llama felicidad. No están descritos en orden de importancia, todos la tienen. No es tan relevante enfrascarnos en teorías de "felicidad" como hacerla en nuestra vida y en casa. Es algo productivo que se construye a diario, en un proceso en el que hay que poner algo de nuestra parte siempre o casi siempre, por lo menos poner la aceptación de lo que nos lleva a disfrutar la vida. El plan no es informativo, es formativo, en casa hay que realizar las prácticas que nos hagan felices, como una competencia más.

¿Quién te da la felicidad o la infelicidad?

Los estudios de investigación científica que han avanzado mucho en este tipo de temas tienden a señalar con claridad que esta "felicidad" está íntimamente atada al uso cotidiano que hacemos de nuestra libertad. Esa capacidad de elegir que tenemos a cada minuto nos lleva a obtener un resultado; por tanto, se vuelve de primerísima significancia revisar nuestros actos al reaccionar a los problemas, y no tanto depender del problema en sí. Todos los días se presentan casos en los que personas con dificultades que no desearíamos para nosotros, nos dan clases verdaderas de optimismo, de ganas de vivir, de gracia para aprender de la nueva situación y hasta ¡nos motivan!... sí, todavía les queda una frase de aliento para decirnos. Esta observación nos permite aprender cómo lo consiguen y, además, constituye una gran oportunidad para todos los seres humanos, saber que *algo se puede hacer ante eso que encuentro desagradable.*

También algo hay que hacer para lo agradable, porque, de hecho, tenemos mucho por disfrutar y no sabemos cómo, no contamos con la competencia para hacer felicidad y logramos los efectos contrarios. Algunos se preocupan porque les está yendo bien, pues piensan: "¡Me irá a durar?" Se amargan con su éxito, el cual se convierte, gracias al enfoque negativo que eligieron, en un augurio de fracaso.

Guías de observación para que seamos padres que "construyen" felicidad en sus hijos

Modela y enseña cómo aceptar los propios errores, con gracia y responsabilidad

Por la vida pasamos a veces personas que ya estamos bloqueadas a aceptar que algo hicimos de manera inadecuada. Debido a ello no hay manera de crecer ya que se niega el principio de vulnerabilidad y falla que debe corregirse. Entonces, lo que ocurrirá es que se repetirán permanentemente las mismas equivocaciones. A veces el abuelo sigue diciendo a sus nietos las peores cosas que algún día le espetó a sus hijos. No puede ser que una vida se desperdicie y pierda todas las oportunidades de alcanzar dulzura y miel en las relaciones humanas al admitir que algunas de nuestras formas están equivocadas. Todo "yo acuso" debe complementarse con un "yo me acuso de".

Una de las razones por las que ocurre este "oculta-miento" de verdad sobre lo que hacemos equivocadamen-te es que en el pasado se nos ofendió a veces en forma tan soez por nuestras faltas que el mecanismo de sobre-vivencia aprendido fue culpar a los demás en automático, y es que aceptar tanta acusación nos desmoronaría ante nosotros mismos. Como padres es importante aprender a aceptar los errores ante ellos. Esto genera una atmósfera humana que pone como punto de partida el empezar de nuevo de una mejor manera. Por otra parte, cuando ellos cometan un error, es importante no irnos por lo que men-cionamos, la ofensa y la acusación. Este aplastamiento debe evitarse a toda costa porque, de no ser así, ellos buscarán qué hacer con su ansiedad, no con el problema, al que no atenderán ni aceptarán.

Enfoque humano quiere decir aceptar las fuerzas y debilidades, los sentimientos como son. Las familias se neurotizan cuando no pueden hablar de lo que les afec-ta a diario y tienen que fingir que no les sucede nada, pero las necesidades de todos existen y se vive lo que hay.

NEGACIÓN

Adopta y enseña una actitud de asumir responsabilidad, no de culpar

En las familias y debido a la cercanía, es fácil señalar como culpable casi al que casualmente pasa por ahí… La forma de pensar que facilita la felicidad no es la de atarnos a los demás, quienes tienen que moverse para que entonces nosotros podamos hacer algo, no es la de ser dependientes del poder de otros. Por el contrario, y sobre todo en hijos de ocho años en adelante, hay que empezar a insistir en el lenguaje del yo hago:

- Yo decido bloquearme para hacer la tarea contra El escritorio siempre está ocupado.
- Yo me siento preocupado pensando en que te pasó algo contra Mira cómo pones a tu madre si no le avisas dónde estás.
- Yo tomo esta crítica destructivamente contra Me hizo sentir menos porque no me aceptó.
- Yo tengo que ver cómo respondo mejor ante la situación que se me presenta, o que tú me presentas con tu comportamiento. Se puede hablar, negociar, pedir un cambio. Mientras el problema se da, se me ocurre que… debo hacer esto o aquello.

Establece la regla "En esta casa no hay culpables, hay responsables". Pon énfasis en lo que se requiere para enfrentar el problema o la situación, en lugar de jugar a la víctima pasiva que depende de que la otra persona haga algo para sentirse mejor. Tomará años formar este concepto, pero es importante mantenerse en el principio y, sobre todo, que ambos, mamá y papá, lo modelen a sus hijos con su propia actitud.

El hecho de culpar ata a la persona que es culpada y la presiona para que cambie. Esto ocurre con frecuencia en la familia; las situaciones se complican y se tornan tóxicas cuando el que culpa es en realidad el propio origen de su malestar. Así descarga en los demás o en las situaciones un trabajo que él debe hacer. Por eso luchar frecuentemente contra esta posición es importante para generar avances y satisfacción.

La afirmación de oro en este capítulo es "dime qué problema tienes y yo te diré qué competencia te falta". No hay víctimas, nos ponemos en esa condición y podemos aprender a no hacerlo, se acabó la frase "por tu culpa".

Vivamos día a día, viendo lo positivo, consumiéndolo

Los papás muchas veces nos preocupamos por cosas futuras que pueden pasarles a nuestros hijos. En ocasiones hasta les exteriorizamos esos planteamientos negativos, generando en ellos desamparo y ansiedad. Una actitud importante es que separemos lo que hay que hacer hoy, nos enfoquemos a ello por completo y dejemos para mañana lo que en verdad sucederá mañana. Eso no significa dejar de planear, más bien quiere decir dejar de fantasear sobre sucesos nega-

Enfoquémonos a lo que hay que hacer hoy

tivos que no tienen por qué suceder. No hay bases para hacerlo y ello nos impide disfrutar el día, el presente, el regalo, que sí tenemos. Ésta también es una actitud con la que hay que luchar permanentemente, pero se logran mejores espacios de paz y disfrute al quitar la paja de la mente negativa.

Para agravios del pasado, el perdón. Para el futuro, sólo el cultivo de la esperanza

Fomentar en casa el perdón va de la mano con dejar de fomentar la condena. Si a menudo nos referimos a los demás como "estúpidos" esto genera la base de querer agraviar y los lastimados serán todos. Ya mencionamos que debemos enfocarnos a las necesidades satisfechas con incompetencia porque violaron derechos humanos y de ahí, partiendo de que todos hemos agraviado a veces y no hay una mala fe intrínseca —aun cuando haya resentimientos y lecturas de otros que ven "malas intenciones"—, podemos percibir los errores más como producto de esa búsqueda torpe que realizamos, con miras a salir adelante y así poder perdonar y volver a la paz.

La historia muestra que el ser humano ha tenido y tiene la capacidad de perdonar prácticamente todo y esa debe ser la tónica familiar, más aún en ese círculo cuya misión es darnos amor, equilibrio y misericordia, es decir, calidad humana.

"En esta casa decimos lo que no nos gusta, pero no ofendemos" puede ser una regla sensacional y no difícil de dominar con algo de práctica.

Sobre el futuro, sólo una regla, pero llevada al máximo: ¡esperanza! Que tus hijos te escuchen decir: "La fiesta está empezando", "Vienen tiempos mejores", "Te irá bien", "Saldremos adelante", "Esto pasará y mejorará" y... vuelta a lo mismo, infinitamente. No hay más, ni un paso para el lado de la desolación, de la angustia, de la lotería de fracasos, y malas noticias porque en realidad se trata de eso, de adivinar... Y si ya es un lujo hacerlo, ¿por qué no adivinar que las cosas vienen bien?

Cuanto más he avanzado en mi desarrollo profesional y personal, más convencido estoy del poder de la fe y la esperanza. La única visión debe ser que todo viene bien y si ocurren problemas... serán sacados adelante..., no hay más.

En esta casa "pensamos que el futuro viene bien", es una disposición o regla que mucho les ayudará.

Cultiva el ejercicio, la buena nutrición, el desarrollo personal, el descanso profundo, la paz

Realizar ejercicio es para todos y para toda la vida, al igual que otros hábitos de salud que conocemos. Cero tolerancia a la comida chatarra en casa sería un logro precioso. Que cada uno tenga metas y planes de crecimiento personal es clave. Desarrollar la mente y el cuerpo resulta impostergable. Saber relajarse, soltar el cuerpo y descansar durante el mismo día, no sólo hasta salir de vacaciones son habilidades que ayudan a la calidad humana. No es la misión de la familia vivir prolongadamente tensionada; haz los cambios necesarios. Poco a poco incluye estos aspectos de mejora integral y verás que las actitudes positivas se favorecerán creando círculos virtuosos. En esta casa, "círculos saludables" para todos.

En esta casa somos defensores de los derechos humanos y nos obligamos a respetarlos

Es esencial mantener en casa una mentalidad de respeto en cuanto a algunos derechos humanos, más allá de los generales, como el derecho a la salud y la educación. Mucho ayudará a la sana convivencia vigilar, modelar, respetar y responsabilizarse de los siguientes.

Derechos	Responsabilidad
Derecho a calmarse, tomar tiempo y pensar antes de actuar.	No tardarse deliberadamente en decidir si se afecta a terceros.
Derecho a equivocarse sin ser ofendido por ello.	Comprometerse a intentar por todos los medios no repetir el mismo error, honestamente.
Derecho a cambiar de opinión y a tomar en cuenta nueva información para ello.	Procurar no cambiar constantemente de opinión si se afecta a terceros.
Derecho a sentir y expresar todo tipo de sentimiento.	No atropellar a terceros con mi expresión, faltando al respeto u ofendiendo; cuidar mi vida y mi salud al experimentar sentimientos.

Derechos	Responsabilidad
Derecho a la privacidad.	No abusar de esa oportunidad para afectar a otros, por ejemplo, como pretexto para ocultar la verdad.
Derecho a dudar, investigar, conocer la verdad, cuestionar.	No acusar sin bases, no acosar agresivamente.
Derecho a ser tratado con cortesía y amabilidad.	Brindar esa cortesía a los demás y no abusar de otros derechos ni aprovecharse.
Derecho a no dar el máximo en todo momento, puesto que es imposible.	Aceptar la fragilidad humana en los demás, intentar dar todo a lo más importante, con esfuerzo y entrega competente.
Derecho a decir no, a poner límites y derecho a decir sí y poner extensiones a ellos; derecho a tener prioridades, a elegir.	Entender los límites que nos ponen los demás y respetarlos, aceptar un no y dejar que otros establezcan sus prioridades.
Derecho a sentirse bien con uno mismo.	No afectar los derechos de los demás al disfrutar, usar la prudencia, no sobrevalorarse ni darse el derecho a despreciar a otros.
Derecho a estar feliz.	Aceptar que la otra persona decida no salir al encuentro de nuestras expectativas y pedir con cortesía, sin "torcerle la mano" ni chantajearla.

117

Derechos	Responsabilidad
Derecho a "ser de la edad" o vivir la etapa de vida que nos toca: niñez, adolescencia, vejez…	No utilizar los cambios propios de la edad como pretexto para no cumplir con lo indispensable o culpar.
Derecho a pedir reciprocidad.	Aceptar que las propias formas de dar son nuestra elección y que la otra persona puede decidir ser o no ser recíproca si lo desea, información con la que contaremos en las decisiones a tomar en esa relación.

Derechos

Responsabilidad

Aceptar al mundo y a los demás como son

Ésta es otra gran competencia productiva y que nos da paz en el sentido de que tomamos la realidad tal cual es y a partir de ahí buscamos hacer algo con ella. La otra opción que sólo nos lleva a la amargura es quejarnos de la realidad como una maldición que tenemos que soportar sin hacer nada, excepto lamentarnos. Es muy frecuente que en las reuniones familiares ocupemos mucho del tiempo de convivencia en este enfoque que sólo provoca que cundan la alarma y la desesperanza. El mundo ya es así, las personas ya actúan así, y lo importante es qué vamos a hacer con ello. En ese enfoque no nos quedamos en el diagnóstico, sino que dedicamos fuerza a la solución creativa de problemas. Se trata sólo de dar un paso más, tan sencillo como eso, pero es preciso hacerlo más frecuente y finalmente habitual, lograr que forme parte de la nueva cultura familiar y social.

Sobre el presente, dedíquense a capturar los detalles positivos, por mínimos que sean

Esta recomendación es un tanto distinta a ver lo positivo que la vida nos regala, o que tenemos nosotros mismos y los demás, que debe pertenecer a las habilidades generalizadas. Aquí el énfasis es un poco más microscópico y consiste en centrar la atención en los detalles minuciosos que el día nos presenta desde que despertamos, como concientizar que po-

Tu cara está hecha para sonreír, en casa debe haber un "vivan la alegría, la risa, el chiste y la creatividad del juego"

demos disfrutar unos minutos más en cama, estirarnos, tomar una taza de café, escuchar un poco de música, decir una oración, entre muchas otras cosas. Abrirnos a cada detalle de la vida, por pequeño que sea, y tomarlo en cuenta, disfrutarlo, concientizarlo, hacerlo nuestro…

Con nuestros hijos podemos hacer un diario de detalles que cada uno va gozando y se puede jugar a acumular muchos, todos ellos positivos, como ejercicio de atención a lo bueno de cada momento.

En esta casa hay buen humor, pero no a costa de los demás

Hacer felicidad contribuye a la salud, a la mente sana y a la productividad. El buen humor, el no tomarnos tan en serio, son parte de una relajación natural al alcance de todo el que no quiera olvidar eso. Crear una cultura de disfrutar lo positivo es asunto serio porque influye de modo determinante en las demás variables. Tu cara está hecha para sonreír, en casa debe haber un "vivan la alegría, la risa, el chiste y la creatividad del juego", pero con el muy importante cuidado de no usar el ingenio para burlarse de otros. Es increíble que la poca creatividad de nuestras televisoras y espacios de comunicación nos llene de humor negro y destructivo, de albures baratos y fáciles. No sólo muestran poco respeto al no darle a los niños programas de calidad en sus horarios naturales, sino que subestiman la inteligencia de los televidentes, a pesar de tener el reto y la posibilidad de desarrollar un humor blanco y una verdadera escuela de todo el arte que conlleva el buen humor. Será conveniente que revises lo que tus hijos consumen en la televisión y, usando el enfoque de equilibrar la vida y las actividades que se realizan, reduzcas tantos espacios que se dedican a verla.

Las groserías

Las palabras pueden subir o bajar el espíritu de las personas. Las groserías las ponen en una frecuencia que merma la calidad de su grandeza y les afecta, aunque para darnos cuenta de ello se requiere observaciones sutiles, además de invitar a otros a bajar ese nivel en donde la violencia, el desprecio y la agresión ocupan su lugar. Más que perseguir a las groserías, yo les recomiendo, padres de familia, que hagan uso de los espacios del lenguaje bello, de las palabras que tienden a sacar lo mejor de nosotros. Les sugiero el siguiente ejercicio: pidan a sus hijos que se dibujen en una hoja tamaño carta y después, que cierren los ojos. Mientras tanto, durante un par de minutos díganles palabras cordiales, amorosas y bellas. La tarea de ellos será aplicarlas a sí mismos. Una vez que abran los ojos, pídales que se dibujen como se sienten ahora, pueden añadir colores si lo desean. La

conclusión es evidente: el otro camino también sabemos a dónde nos lleva.

El odio, la violencia, los pleitos, las venganzas, los chismes, el rencor

De igual manera, estos elementos son perniciosos y bajan el espíritu a su mínima expresión, carcomiéndolo, dejando a un lado su misión de grandeza y volteándolo hacia hoyos negros sin salida. El espíritu sufre y hace sufrir, desvirtúa la verdad y con cerrazón percibe sólo lo malo de las cosas.

Apliquen con sus hijos un ejercicio similar con una variante: dígales que se dibujen con lápiz y colores. Después, que cierren los ojos y visualicen, como si lo estuviesen viviendo, las siguientes imágenes: "sienten amor y consideración por los demás, ayudan a alguien de manera relevante, hablan bien de las virtudes de otros, son recíprocos, mejoran el país, impulsan a otros a realizar grandes cosas, perdonan y vencen los problemas, se superan y se dan a los demás"... Ahora, pidan que hagan un nuevo dibujo de sí mismos y establezcan el grado de "estar contentos pensando así".

El mito de los juguetes

¿Cuánto dura la felicidad causada por estrenar tu primer automóvil? En efecto, la emoción es muy grata, pero relativamente efímera, a menos que repases a diario lo que sentiste ese primer día. En los niños la felicidad es extrema cuando reciben los juguetes... pero tal vez al poco tiempo veremos que ya ni los usan. Es un reto romper el modelo de felicidad "producido por las cosas", como forma en la que debemos apoyarnos para hacerlos felices. Hay muchas cosas de mayor importancia que llenarlos de objetos y lo sabemos; a veces compramos más para quitarnos de encima la presión de sus deseos y la culpa propia. Pero un buen elogio, un buen abrazo, una cálida caricia logran mucho más. Te aconsejo privilegiar los juegos más que el juguete, y si éste es parte del regalo, que ayude a que tu hijo obtenga algún tipo de desarrollo, no que acabe en un rincón para la vista pasiva de su poseedor. No compres por culpabilidad. Uno de los diseñadores más famosos de Europa comentaba que en su infancia nunca le compraron juguetes; le daban papeles, goma, palitos y objetos diversos, y él diseñaba los propios. A esto atribuye directamente la gran capacidad creativa que desarrolló.

En esta casa tenemos la regla de ganar-ganar

Busca negociar con tus hijos la tónica permanente de ganar-ganar. Se trata de un derecho a pedir y dar reciprocidad. Servimos a nuestros hijos y ellos también tienen que servir a los demás miembros de la familia. Hacerlo manteniendo la claridad de lo que se gana mutuamente con ello es un principio que al llevárselo fuera de casa les ayudará mucho. Saber negociar y manejar un conflicto en el resultado de beneficios para todos, aun cuando haya algo que ceder, es parte de la convivencia saludable y que llevará a mejores niveles de convivencia. Pasó de moda el todo o nada, el abuso o la imposición autoritaria, los extremismos y los blancos o negros. Manejarnos en continuos de escala en los problemas, es un modelo flexible en donde se maximiza la probabilidad de éxito.

Los papás somos ejemplos para nuestros hijos, pero...

Nadie duda de la importancia de dar el ejemplo a nuestros hijos, pero a veces fallamos también y en ocasiones veo a los padres muy preocupados por ello, aunque tengan un buen número de aciertos en esta área. No pueden ser ejemplos perfectos y qué bueno que no es así, porque esto nos hace vernos más humanos a todos. Lo importante es la verdad del principio y no si necesariamente alguien lo sigue o no. A veces ponemos demasiado empeño en juzgar quién cumple o no con tal o cual valor; eso no importa. Si mi cardiólogo que me recomienda disminuir el colesterol es el primero en desayunar huevos con tocino y sesos, eso no anula el principio de su recomendación. No tenemos que buscar y juzgar a los demás; busquemos las verdades que cada uno de nosotros necesita aprender a aplicar. Esto mismo es importante en casa; aun cuando existan equivocaciones, habrá la misma cantidad de reparaciones, ése sí es un compromiso responsable y realista.

Claro que la congruencia, junto con nuestro liderazgo, ejerce una gran influencia, pero no existe alguien cien por ciento congruente, y las fallas de los demás no justifican que faltemos a los principios que sí son aplicables a nuestro caso particular. ☼

Regla diez

Desarrolla la espiritualidad, la misión, el sentido de la vida

Somos espíritus metidos en el
barro, el polvo y el lodo, pero
principalmente estamos vivos
para algo superior.

Jeka

Según investigaciones realizadas, las personas que han desarrollado su espiritualidad se vuelven más resistentes a las enfermedades y a las grandes penas de la vida, tienden al equilibrio y son más propicias al altruismo, a despegarse de tanto materialismo.

Sobre el tipo de desarrollo espiritual que conviene que exista en la familia, los padres tienen la última palabra. Los misterios que enfrentamos en esta vida, el nivel de incertidumbre sobre lo visible y lo invisible, pero no inexistente, requiere que planteemos preguntas sobre la vida y la muerte, el sentido del sufrimiento y del gozo, la posibilidad de una vida ulterior, la razón del amor y de la convivencia con los demás, la posibilidad de un destino, de una fuerza más grande que nosotros, entre otras cosas.

Mi sugerencia muy personal consiste en conectar a nuestros hijos y enseñarles a relacionar su razón espiritual individual con el amor, el equilibrio y el entendimiento como valores fundamentales que pueden considerarse en cualquier instancia de la existencia y su sentido, desde el nacimiento hasta la muerte.

¿Cuáles son tus convicciones más profundas y, si sientes que valen la pena, cómo las enseñarás a tus hijos? Tales cuestionamientos constituyen un tema de enorme relevancia.

¿Cuál es la misión de nuestra familia? ¿Podremos redactar entre todos una que nos deje satisfechos? Hagan este recomendable ejercicio y pongan lo redactado en algún lugar visible de la casa que permita el recordatorio.

¿Por qué estamos aquí? La búsqueda de un buen por qué vivir, sufrir, morir, estudiar, o cualquier cosa que implique existir, nos dará motivación y anhelo de vivir y seguir adelante. Todos estos temas deben tratarse abiertamente en casa y con la participación de todos; son, al fin y al cabo, los más importantes porque dan las respuestas a la existencia en su parte fundamental.

Víctor Frankl, conocido psiquiatra que vivió en un campo de concentración nazi, dice: "Si tienes un buen por qué, tú mismo encuentras el cómo", y también: "En medio de todo el sufrimiento inimaginable, yo sabía que valía la pena vivir esa experiencia y que un día me iba a servir para algo".

Desarrolla junto con tus hijos un pensamiento crítico sobre los valores, los antivalores, lo que el comercio induce, lo que en verdad vale la pena. Esta tarea profunda de humanización y conciencia, la más digna que jamás haya existido, puede ser un viaje hermoso que nada como la experiencia en el hogar podrá dártelo, otro gran regalo de la vida que los padres recibimos.

En mi opinión, somos espíritus enclavados en un cuerpo que es vulnerable y que está sometido a las leyes de un mundo físico imperfecto.

Lo cotidiano es encontrar todo tipo de noticias sobre las carencias y fallas humanas, lo que nos hace perder de vista las aspiraciones más elevadas del espíritu a las que estamos llamados. Muchas veces perecemos ante tanto lodo y polvo, olvidando que cada uno de nosotros es un verdadero poema de amor, descubierto o no, desarrollado o no.

La familia brinda la oportunidad más preciosa para enaltecer el espíritu. ¿Aceptamos y entendemos ese reto? "En esta casa se enaltece el espíritu". *Una ordenanza y un camino seguro tenemos: el ejercicio del amor.* ✹

En esta casa...

Ejercicio final

Llegó el momento de aterrizar en casa, en la página siguiente, escribe las reglas que deseas ver que se siguen en tu casa, las directrices que orienten a tus hijos a buscar lo que tú soñaste al tener una familia. Te recomiendo que si tus hijos pueden participar, ellos también hagan sugerencias y que se vote por las opciones. No lleves a cabo este ejercicio rápido, tal vez requiera un mes de reflexión, pero como resultado obtendrás verdaderas guías sensibles de orientación en el camino que quieren recorrer y el paraíso que anhelan alcanzar.

Puedes hacer desde un cuadro con algún impreso precioso o escribir las directrices y pegarlas con un imán en el refrigerador. Lo importante es el recordatorio de las mismas, el repaso, y que no se conviertan en letra muerta o inalcanzable. En ocasiones me enseñan idearios de empresas o grupos y tristemente suenan huecos, no se aplican o abiertamente se hace lo contrario. Describe todo de forma tal que se vea lo que se desea, más que lo que no se desea, exprésate en términos positivos. Por ejemplo, usa palabras que nos estimulen y no emplees un tono agresivo; además, procura que lo dicho sea específico y claro para todos. Más vale una regla que se cumpla que un abrumador código de "deber ser".

Conferencias del autor en todo
el país o en el ámbito internacional.
Por favor comuníquese a:
mmakubli@hotmail.com
jeka48@yahoo.com.mx
Tel. Monterrey:
(0181) 8349-7627

Esta obra se terminó de imprimir
en septiembre de 2009, en los Talleres de

IREMA, S.A. de C.V.
Oculistas No. 43, Col. Sifón
09400, Iztapalapa, D.F.